저자 강미선

10년 만에 기적적으로 아이를 만나 늦은 나이에 육아 중인 11세, 9세의 남매를 둔 평범한 엄마입니다. 2022년도에 독립출판물 '기적이 내게로 왔다'를 출간하면서 작가의 꿈을 꾸었으나 생업에 찌들어 꿈을 포기하려 했지만, 다시 힘을 내어 도전 중입니다.

내 생애 봄날은 간다

지랄맞은 육아노트

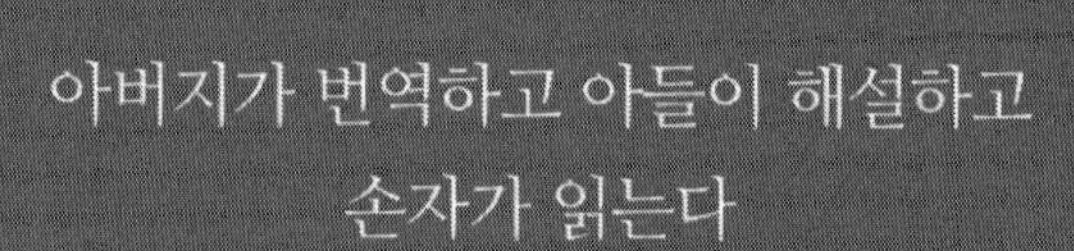

삼대가 읽는 논어

권영세 옮김
권재원 해설

삼대가 읽는 논어

발 행 | 2024년 07월 22일

저 자 | 공자, 권영세(옮김), 권재원(해설)

펴낸이 | 한건희

펴낸곳 | 주식회사 부크크

출판사등록 | 2014.07.15(제2014-16호)

주 소 | 서울특별시 금천구 가산디지털1로 119 SK트윈타워 A동 305호

전 화 | 1670-8316

이메일 | info@bookk.co.kr

ISBN | 979-11-410-9624-3

www.bookk.co.kr

삼대가 읽는 논어

\- 아버지가 옮기고, 아들이 해설하고, 손자가 읽는다

공자 지음

권영세 옮김

권재원 해설

그리운 아버지

이 책은 아버지가 남긴 원고를 편집하여 만든 것입니다. 아버지는 2024년 2월 5일 15시 7분에 소천하셨습니다. 이 원고는 아버지의 유품을 정리하다 찾았습니다. 낡은 노트북 컴퓨터에서 '논어 번역'이라는 제목의 파일이 남아 있었던 것입니다. 1941년생이니 컴퓨터가 익숙하지 않은 세대였지만 독수리 타법으로 한 글자 한 글자 쳐가며 논어 한 권을 번역하여 저장해 두셨습니다.

사실 아버지는 한학자도, 작가도, 번역가도 아닙니다. 아버지는 1964년 서울대학교 법과대학을 졸업했고, 이후 국민은행에서 30년 이상 재직한 금융인입니다. 채권 관련 업무에 능했다고 하며, 우리나라에 신용카드가 도입되는데 중요한 역할을 했다고 합니다.

하지만 마음 한 켠에는 늘 유학을 공부하여 선비가 되고 싶다는 생각이 가득했고, 공부한 것을 다음 세대에게 가르치는 일에 동경을 가지고 있었습니다. 대학 시절에도 사범대 학생들이 그렇게 부러웠다고 합니다. 제가 법조계나 금융계가 아닌 교육자의 길을 선택했을 때 "선생 하긴 아깝다."는 주변의 반응에도 불구하고 "내 아들이 선생이다."라고 자랑했던 아버지였습니다.

아버지는 1998년 외환위기, 이른바 'IMF 사태' 때 마음에 큰 아픔을 안고 조기 퇴직을 결심했습니다. 당시 수많은 은행이 파산 위기에 처했는데, 당시 재직하던 은행이 작은 은행들을 인수 합병하였습니다. 그 과정에서 대량 해고가 이루어졌는데, 하필 그 일을 담당했던 것입니다. 합병되는 은행 직원들을 낱낱이 조사해서 해고를 통지하는 일은 사람으로 차마 못할 일이었습니다. 이 때문에 마음이 무거워졌고, 마음이 무거워질수록 더 늦기 전에 한학을 공부하여 선비가 되는 꿈을 이루고 싶다는 마음을 굳혔다고 합니다.

그렇게 은행을 퇴직한 아버지는 성균관 선비학당에서 그토록 꿈꿔왔던 유학 공부를 시작하며 인생 2막을 열었습니다. 사서삼경과 주자의 주석들(논어집주, 맹자집주, 대학혹문, 중용혹문)까지 원문으로 읽고 옮기며 부지런히 공부하던 모습이 제 기억에 생생합니다. 그 무렵 아버지 집에 가면 글 읽는 소리가 낭랑하게 들리는 것이 마치 조선시대 서원에 와 있는 것 같았습니다.

하지만 호사다마였습니다. 유학 공부에 너무 몰두하다 보니 책상 앞에 앉아 있는 시간이 은행에서 일 할 때보다 더 길어졌고, 결국 그것이 화근이 되어 허리와 다리 건강을 해쳤습니다. 결국 아버지는 삶의 마지막 10년을 거동이 불편한 상태에서 지내야 했고, 이 때문에 전반적으로 장기 기능이 떨어지면서 다발성 장기부전, 소위 말하는 '노환'으로 세상을 떠났습니다.

그래서 이 파일을 찾았을 때 떠오른 생각은 "아버지가 목숨과 바꾼 번역이구나" 하는 것이었습니다. 그렇다면 이 번역을 어떻게 해서라도 세상의 빛을 보게 하는 것, 또 이 번역이 세상에 빛을 전하게 하는 것이 자식 된 도리겠구나 하는 생각도 들었습니다.

하지만 쉬운 일이 아니었습니다. 이 번역을 그대로 책으로 내는 것은 이미 시중에 수없이 나와있는 논어 번역본을 하나 더 보태는 것에 불과했습니다.

그러다 문득 아버지가 평생 교직을 부러워했고, 당신의 아들이 교사임을 자랑스럽게 여겼다는 것을 떠올렸습니다. 따라서 이 번역은 잘 다듬고 교사인 제가 친절한 해설을 집어 넣어 청소년들을 위한 교양도서 형태로 빛을 보여야 한다고 결심했습니다.

그렇다면 다음 정해야 하는 것은 논어 번역 전체를 다 다룰 것인지 아니면 중요한 부분들을 발췌할 것인지 하는 부분, 그리고 원전 순서대로 낼 것인지, 주제별로 재배열해서 낼 것인지 하는 것이었습니다.

논어는 체계적으로 논리가 전개되는 책이 아니라 뚝뚝 끊어진 단편적인 대화들을 모아 놓은 것입니다. 더구나 어떤 기준을 가지고 모은 것도 아니고 조금 심하게 말하면 마구잡이로 모여 있습니다. 그래서 뜬금없는 내용이 튀어나오기도 하고 앞에 나왔던 대화가 또 나오기도 합니다.

하지만 저는 고전의 원래 형태를 바꿀만한 대가가 아니기에 함부로 손 대지 않기로 했습니다. 또 대체로 유교 관련 고전은 번역문 뒤에 한자 원문을 같이 표기하는 경우가 많은데, 이게 오히려 필요 이상으로 책을 딱딱하게 만든다는 판단에 한글 번역문만 수록하고 필요하면 설명을 넣기로 했습니다.

아무쪼록 청소년 독자들이 이 책을 읽고 '논어'를 보다 쉽고 재미있게 이해했으면 합니다. 그렇다면 학생 가르치는 일을 선망했던 아버지가 하늘나라에서 간접적이나마 가르치는 일을 하게 된 셈이니 무척 행복해 하실 것입니다.

논어에도 나옵니다. 효는 부모의 뜻을 계속 이어가는 것입니다. 저 역시 이 책을 냄으로써 비로서 그 동안의 불효를 털어내는 기분입니다.

2024년 아들 권재원

머리말

30여년 직장 생활을 마감하고 그동안 하고싶었던 공부를 한번 해보려고 성균관 선비학당을 다녔다. 재주가 없는데다. 머리마저 굳어져서 정자의 말처럼 전연 얻은 바가 없이 세월만 보내고 있던 중에 명민하게 생긴 손자가 태어났다.

훗날 혹시라도 내 사랑하는 손자가 논어를 읽을 날이 오면 조금이라도 도움이 될까 하여 공부하던 자취를 남겨둔다.

도, 인, 예, 덕, 군자 등 내가 완전히 이해하지 못하거나 설명을 잘 할 수 없는 것은 원문 그대로 두었으니 열심히 궁구하여 터득하기 바란다.

무자년(2008년) 정초에 권영세 씀.

차례

1부 읽기 전에

1. 논어의 시대적 배경

공자는 기원전 551년에 태어나 기원전 479년까지 살았습니다. 공자가 활동했던 시대는 춘추시대(기원전 770- 403년)가 전국시대로 넘어가는 과도기입니다. 춘추시대는 주나라가 제후들의 자립과 다툼으로 혼란스럽던 시대이며 전국시대는 아예 여러 개의 나라로 완전히 갈라져버린 시대입니다.

주나라의 봉건제

춘추시대를 이해하려면 먼저 봉건제를 알아야 합니다. 봉건제란 왕(천자: 天子)이 전국을 직접 다스리지 않고 수도와 그 일대만 직접 다스리고(이걸 경기라 불렀습니다) 나머지 영토는 제후들에게 나누어 다스리도록 하는 제도입니다. 제후들에게 영토를 나누어 주는 것을 책봉, 나누어 준 땅을 봉토라 합니다. 제후들이 봉토를 받아 나라를 세운다 하여 봉토건국, 줄여서 봉건입니다.

물론 아무나 봉토를 받아 제후가 되는 것은 아닙니다. 왕의 친인척, 공신, 그리고 주나라가 합병하거나 주나라에 귀화한 나라의 지배자들이 제후가 되었습니다. 왕의 친인척이나 공신은 땅을 나누어 주었고, 합병한 나라의 지배자는 빼앗은 영토의 일부를 남겨 주었고, 귀화한 나라는 계속 그 나라를 다스리게 하되 왕이 아니라 신분을 제후로 삼았습니다.

제후들은 왕을 천자라 부르며 존경하며 충성을 바치고 왕은 제후를 예의로 대했습니다. 이 관계만 유지된다면 제후는 자신의 봉토에서 군주로서 권력을 행사했습니다. 이렇게 충성과 영토를 주고받는 관계를 유지하며 주나라는 그럭저럭 하나의 나라를 유지하였습니다.

사실 이런 관계가 예의와 충성 등 도덕만으로 유지된 것은 아니었습니다. 천자의 본국이 제후국 보다 압도적으로 강했습니다. 왕이 직접 다스리는 본국은 영토가 사방 1000리, 그리고 운용하는 병력이 10,000 승, 제후의 나라는 영토가 사방 100 리에 1,000 승의 병력을 운용하였습니다. 승은 전차를 세는 단위인데, 전차 한 대 당 말 4마리와 병사 3명이 배치되었습니다.

계산해 봅시다. 천자의 나라는 대략 둘레가 300-400킬로미터 정도 되는 우리나라로 치면 한 개 도 정도 되는 영토에 약 3만명의 기병을 동원할 수 있습니다. 제후의 나라는 대략 둘레가 30-40킬로미터로 도시 하나 규모에 약 3천명의 기병을 동원할 수 있습니다. 이러니 제후가 감히 천자에게 대들 수 없었을 것입니다. 만약 대들었다간 천자의 대군이 오기도 전에 천자를 두려워하는 주변의 다른 제후들이 연합하여 응징했겠죠.

경, 대부, 가신

고대 중국 봉건제의 신분이 왕과 제후만 있는 것은 아니었습니다. 왕은 말할 것도 없고, 제후 역시 자기가 책봉된 나라에 가면 군주이며 통치자입니다. 따라서 이들을 모시며 실제 정사를 담당할 관료가 필요합니다.

이들 중 왕은 제후와 동급 신하인 경, 그리고 고위 관료인 대부를 두어 나랏일을 돌보게 하였습니다. 제후 역시 대부를 신하로 두어 나랏일을 돌보게 하였습니다. 제후 역시 자기 나라를 여러 개의 읍으로 나눈 뒤 대부들을 보내 다스리게 했는데, 이렇게 읍을 하나씩 받아서 다스리는 대부를 읍재라 하였습니다. 그런데 대부 역시 읍을 혼자 다스릴 수는 없었기 때문에 자기 아래 가신들을 두었습니다. 이 대부들은 왕이 아니라 제후와 주종관계를 맺었고, 가신은 제후가 아니라 대부와 주종관계를 맺습니다.

천하의 도가 땅에 떨어진 시대

공자는 자신이 살던 시대를 도가 땅에 떨어진 난세라고 보았습니다. 공자가 생각한 치세는 주나라 초기, 즉 제후들이 왕에게 복종하고, 대부들이 제후에게 복종하고, 가신들이 대부에게 복종하며, 백성이 자신들의 군주를 사랑하며 복종하는 그런 시대입니다. 동시에 왕은 제후를, 제후는 대부를 예로 대하며 백성에 대해서는 자애로운 덕으로 다스리는 그런 시대였습니다. 주나라 초기가 정말 그랬는지는 모르겠지만 공자는 그랬다고 생각했습니다.

이는 모든 신분이 저마다 자신의 본분과 분수를 지키는 그런 사회를 말합니다. 그리고 그 본분과 분수는 각 신분에 따라 정해진 행동의 규율, 바로 예를 통해 유지됩니다. 하지만 공자가 살던 시대는 제후들이 왕실의 권위를 무시하기 시작한 춘추시대가 한참 진행된 시기로, 제후가 왕을 넘보는 것을 넘어 대부가 제후를 넘보기까지 하던 시대입니다.

공자는 이를 군주가 인(仁)과 의(義)를 중심에 두고 예(禮)에 따라 다스리지 않고 이익을 추구한 탓이라 돌렸습니다. 군주가 이익을 추구하면 대부도 이익을 추구하고, 그럼 가신도 이익을, 결국 백성도 각자 자기 이익을 우선으로 삼습니다. 그렇게 되면 질서가 문란해질 수밖에 없겠죠.

제후가 멋대로 왕이 주최해야 하는 제사나 행사를 개최한다 거나, 왕실에서만 연주되어야 하는 음악을 행사음악으로 쓴다 거나 왕실의 예법을 사용하는 경우가 늘어났습니다. 제후가 그러자 대부도 뒤질 새라 제후 행세를 하기 시작했습니다. 흉내만 내는데 그치지 않고, 제후들이 멋대로 서로의 영토를 탐하며 전쟁을 일으켰습니다. 대부들 역시 제후를 무력으로 겁박 하거나 반란을 일으키는 경우가 늘어났습니다. 그 피해는 고스란히 백성들에게 전가되었습니다. 백성들은 제후나 대부를 사랑하기 보다 두려워했고, 제후나 대부는 당장의 욕심을 채우기 위해 백성을 덕으로 다스리는 대신 법과 힘으로 윽박지르는 경우가 늘어났습니다.

노(魯)나라와 주변 나라의 상황

공자는 춘추시대의 여러 제후국들 중 하나인 노나라 출신입니다. 노나라는 주나라의 창업 군주인 주무왕의 동생이자 주나라의 여러 문물제도를 정비한 건국의 아버지 뻘인 주공의 후손에게 봉해진 나라입니다. 그런 만큼 노나라 사람들은 다른 제후국들과는 격이 다르다는 자부심이 높았는데, 안타깝게도 국력은 그리 강하지 못했습니다. 태산을 사이에 두고 동쪽에는 춘추시대 최강국 중 하나인 제나라가 자리잡고 있었고, 서쪽에는 제나라와 힘을 겨루는 강국 진나라가 버티고 있어 샌드위치 신세였습니다.

더구나 나라 안 사정도 좋지 않았습니다. 이른바 삼환이라 불리는 유력한 세 가문인 맹손씨(맹씨라고도 함), 숙손씨, 계손씨(계씨로도 씀)가 군주의 가문인 공실보다 강한 권력을 휘두르며 자기들 끼리 경쟁하고 있었습니다. 이 틈을 노리고 이웃한 강국 제나라는 호시탐탐 노나라를 잡아먹을 궁리를 하고 있었습니다.

위기감을 느낀 당시 노나라 군주 정공은 공자를 등용하여 일대 개혁을 실시했고, 공자는 군주가 아닌 유력 가문의 권력을 제한하는 정책을 펼쳐 공실의 힘을 키우고 나라를 안정시켰습니다. 하지만 노나라를 삼킬 궁리를 하던 제나라는 그런 공자를 눈엣가시로 여겼고, 당연히 권력이 줄어 불만인 삼환 가문과 내통하여 정공과 공자 사이를 이간질했습니다. 이간질에 넘어간 정공이 여색에 빠지는 등 타락하자 공자는 크게 실망했을 뿐 아니라 삼환 가문의 보복을 피해 노나라를 떠나야 하는 신세가 되었습니다.

그런데 제후들이 주 왕실을 우습게 보는 것을 넘어, 각 제후국의 대부들이 제후를 능멸하고 권력을 휘두르는 현상은 노나라 뿐 아니라 여러 제후국에서 공통으로 나타나는 현상이었습니다. 가령 제나라는 전씨 가문이 공실을 압도하는 권력을 휘두르다 마침내 제나라 군주를 시해하고 권력을 찬탈하기까지 했고, 진나라는 세 유력 가문이 서로 다투다 나라를 세 토막 내는 지경까지 갔으니 말입니까요.

2. 논어의 주요 등장인물

공자(孔子)

당연한 말이지만 논어의 주인공은 공자입니다. 공자는 노나라 창평향 추읍에서 태어났습니다. 송나라 귀족인 공방숙이 노나라로 이주하면서 공자의 조상이 되었습니다. 공자의 이름은 구, 자는 중니입니다. 아버지 숙양흘은 니구산에 기도드린 뒤 아들을 얻었는데, 이 산에서 이름을 따 구, 자를 중니라 했다고 합니다. 그래서 문헌에 따라 공자는 공자, 공구, 중니 등 여러 이름으로 등장합니다.

공자는 불우한 어린시절을 보냈습니다. 세 살 때 아버지가 돌아가셨고, 홀어머니 밑에서 어렵게 자랐습니다. 좋은 교육을 받을 형편이 못되어 유명한 스승도 모시지 못했습니다. 실제로 공자와 관련된 문헌에는 공자가 누구를 가르치는 이야기만 많지, 공자가 스승을 모시고 배우는 장면은 찾아볼 수 없습니다. '논어'에도 공자가 다른 학자의 책을 읽은 이야기는 나와도 누군가를 스승으로 칭하는 장면은 나오지 않습니다.

이런 어린시절에 대해 사마천은 '사기'에서 "공자는 젊어서 가난하고 천하였다"라 적었습니다. 그렇다고 천민이었다는 뜻은 아니고, 관직이 낮았다는 뜻입니다. 저울을 들고 창고를 관리하는 말단 공무원으로 일했으니까요.

젊은 공자는 매우 유능하고 성실했던 모양입니다. 차차 그 능력을 인정받아 차곡차곡 승진하여 나라 재정을 관리하는 사공까지 올라가 대부의 신분이 되었고, 마침내 법무부 장관에 해당되는 대사구가 되어 재상의 반열에 올랐습니다. 가문의 후광도, 학벌도, 재력도 없이 순전히 본인의 능력과 노력의 결실입니다.

재상이 된 공자는 여러가지 개혁을 실시하여 나라의 기강을 바로 잡는 등 정치적 능력을 발휘했습니다. 공자가 펼치고자 한 이상정치는 "한 마디로 윗물이 맑아야 아랫물이 맑다." 입니다. 제후 가 백성을 덕으로 다스리면 백성이 군주를 사랑하고 존경할 것이며, 제후가 왕실을 존중하고 예를 지키면 대부가 제후에게 복종하며 예를 지킬 것이고, 대부가 제후를 예를 다하여 받들면 가신이나 백성 역시 마찬가지일 것입니다.

하지만 노나라가 강해지는 것을 바라지 않던 이웃 나라(특히 제나라)가 공자를 견제했습니다. 또 자신들의 특권이 줄어드는 것이 싫었던 노나라의 강력한 대부 가문(계손씨, 숙손씨, 맹손씨)도 공자를 껄끄럽게 여겼습니다. 결국 이들의 방해와 모함으로 결국 자리에서 물러나고 말았습니다.

이후 공자는 자신을 등용하여 이상정치를 펼칠 나라를 찾아 여러 나라를 떠돌아야 했습니다. 하지만 제후들은 왕실을 진심으로 받들 생각이 없고, 각 제후국 마다 이미 다른 욕심을 품은 대부들이 세력을 이루고 있기 마련이라 공자가 뜻을 펼 곳을 찾기 어려웠습니다. 광이라는 지방을 지날 때는 식량도 떨어지고 주민들의 습격까지 받아 생명의 위협을 받기도 했습니다.

결국 이렇게 천하를 떠돌아다니다 늙어버린 공자는 자신의 뜻을 펼칠 나라 찾는 일을 포기하고 고향 노나라로 돌아가 학문을 연구하고 제자를 가르치기로 결심합니다. 그리하여 노나라로 돌아와 뿔뿔이 흩어져 사라질 위기에 처한 하은주(夏殷周) 삼대의 문헌, 예법, 음악을 정리하고, 노나라의 역사를 정리한 '춘추(春秋)'를 쓰고 학당을 세워 이를 제자들에게 전수하였습니다.

자로(子路)

논어 내용의 대부분은 공자와 제자들 간의 대화입니다. 그런데 공자의 제자는 굉장히 많았습니다. 공자 스스로 "육예에 통달한 제자가 72명이다."라고 말할 정도니까요. 통달한 제자만 72명이니 전체 제자는 훨씬 많았을 것입니다.

하지만 논어에 자주 등장하는 제자는 의외로 많지 않습니다. 통달한 제자 72명 중에서도 다시 손꼽히는 제자들, 그야말로 수제자들이 주로 등장합니다. 자로는 이 중에서도 가장 많은 출연 빈도를 자랑하는 제자입니다.

자로는 공자 제자들 중 나이가 가장 많은 편에 속했습니다. 겨우 아홉 살 연하니까 제자 보다 차라리 후배에 가까웠고, 다른 제자들과는 거의 아버지 뻘이었습니다. 본명은 중유이며 자로는 자입니다. 또 다른 이름으로 계로가 있습니다. 논어에서는 중유, 유, 자로, 계로 등으로 불립니다.

논어에서 공자가 하는 말에 정면으로 반박하는 제자는 자로 뿐입니다. 반대로 공자가 면전에서 면박을 주고 조금 심한 말로 꾸짖는 제자 역시 자로 뿐입니다. 이는 두 사람의 관계가 그만큼 친밀했다는 뜻입니다. 자로는 짤막한 대화록에서도 놀랍게 개성이 두드러지는 캐릭터로 후세 독자들의 사랑을 받았습니다. 강직하고 불의와 타협하지 않고, 용감하면서 꾸밈없는 그런 캐릭터입니다.

공자는 "자로가 제자가 되니 나를 비방하는 사람들이 사라졌다."고 했습니다. 누가 스승을 험담하면 가서 혼을 내주었던 모양입니다. 자로는 공자가 전국을 떠돌아다니던 어려운 시절을 함께 했으며, 늘 곁에서 신변을 지켜준 그런 제자입니다. 이렇게 보면 장군감이라고 느껴지겠지만 정사에도 능해 고을을 맡아 다스리는 관직을 자주 맡았고, 제후들의 스카웃 제의도 가장 많이 들어왔습니다. 공자는 그의 강직함을 칭찬하면서도 동시에 그 성질 때문에 제 명에 못 갈까 봐 걱정하기도 했습니다.

실제로 자로는 위나라에서 벼슬을 하다, 자신의 상관이 반란을 일으키자 격렬하게 반대하다 피살되고 말았습니다. 공자는 자로의 죽음에 정신적으로 큰 타격을 받아 급격하게 기력을 잃고 쇠약해지다 이듬해 세상을 떠나고 말았습니다.

자공(子貢)

자공은 자로, 안회와 함께 논어 출연 빈도로 선두를 다투는 제자입니다. 성은 단목 이름은 사이며 자공은 자입니다. 논어에서 공자가 자공을 부를 때 주로 '사'라고 합니다.

자공은 자로와 여러모로 대비되는 인물입니다. 자로가 소박하고 꾸밈없고 듬직하지만 학업성적은 썩 좋지 않은 학생이라면 자공은 그야말로 공자의 우등생입니다. 뭐든지 빨리 배우고, 임기응변이 뛰어나고 다재다능한 인물입니다. 논어에서 상당히 세련된 토론이 오간다 싶으면 어김없이 그 주인공은 자공입니다. 말재주가 좋다 보니 논어에서 차지하는 분량도 상당합니다.

자로가 공자의 경호실장이었다면 자공은 비서실장이나 총무실장 같은 존재였습니다. 실제로 공자가 먼 길을 나설 때 자로, 안회와 함께 늘 옆에 데리고 간 제자가 자공입니다. 제후들의 스카웃 제의를 많이 받았고, 일찌감치 벼슬길에 나가 재상이나 외교관으로 맹활약했습니다. 심지어 투자에도 능해 엄청난 부호가 되기도 했습니다. 공자와 그 많은 제자들의 생활비를 댄 사람도 바로 자공이며, 공자가 세상을 떠난 뒤 상주 역할을 한 제자도 자공입니다. 3년상으로 모자라 무려 6년상을 치르며 스승을 애도했다고 합니다.

자공이 얼마나 유능한 인물이었는지는 사마천의 기록을 통해 알 수 있습니다.

> 한 번 나서서 노나라를 보존하고 제나라를 어지럽게 했으며, 오나라를 멸망시키고 진나라가 강국이 되게 하였으며, 월나라가 패자가 되게 하였다. 즉 자공이 한번 돌아다니더니 각국의 형세에 균열이 생겨 십 년 사이에 다섯 나라에 커다란 변화가 있었다.

> 자공은 사두마차를 타고 많은 호위병들을 거느리며 제후들과 교제하였고 가는 곳마다 왕들은 몸소 뜰로 내려와 대등한 예로 맞이하지 않는 자가 없었다. 공자의 이름이 천하에 널리 퍼진 것도 그가 공자를 모시고 다닌 덕분이었다.

그럼에도 불구하고 자공은 우쭐대지 않고 끝까지 스승을 존경하는 겸허한 모습을 보여주었습니다. 다만 공자는 자공에 대해 아쉬움을 느꼈습니다. 재주 있는 자공이 학문을 깊이 연구해 주기를 기대 했지만 바로 실무에 뛰어들어 성공하는 쪽을 선택했기 때문이죠. 그래서 당대에 유능하다는 평가는 받았지만 자하, 자장, 자유, 자여(증삼)처럼 공자 이후 학파를 이끌어가는 인물은 되지 못했습니다.

안연(顏淵)

이름은 회지만 자가 자연이라 안연이라는 이름으로 자주 불립니다. 공자가 가장 아끼고 사랑하던 제자로 명실상부 수제자입니다. 덕행에서 으뜸이라 꼽히지만 논어에서는 주로 학문에 뛰어난 천재

형 인물로 묘사됩니다. 공부도 일등, 품행도 일등이죠. 저 머리 좋고 자존심 센 자공도 안회 앞에서는 겸손했다고 합니다. 그래서 자신을 안회보다 못하다고 아주 쉽게 인정합니다. "저는 하나를 들으면 겨우 둘을 알지만 안회는 하나를 들으면 열을 압니다."라고 말하면서 말이죠. 더 놀라운 것은 자공이 그렇게 말하자 공자도 자신이 안회만 못하다고 말했다는 것입니다.

논어에서 안회가 등장하는 장면은 다른 제자들과 달리 공자가 뭔가 가르쳐주거나 일깨워주는 장면이 아닙니다. 대부분 공자가 칭찬하는 장면입니다. 때로는 제자라기 보다는 거의 추앙의 대상에 가깝다 느껴질 정도입니다.

하지만 안타깝게도 젊어서 세상을 떠났습니다. 서른 두 살에 죽었다고 알려졌지만 여러 정황상 그 보다는 오래 살았습니다. 하지만 공자보다 훨씬 먼저 세상을 떠난 것만은 사실입니다. 그래서 수제자임에도 불구하고 공자 뒤를 잇지는 못했습니다. 안회가 세상을 떠나자 공자는 "하늘이 나를 버린다." 며 통곡했습니다.

염구(廉求)

자가 자유라 때로 염유라 불리기도 하고, 그냥 구 혹은 유 이렇게 불리기도 합니다. 좋게 말하면 능력 있는 인물이며, 나쁘게 말하면 기회주의자입니다. 자로와 더불어 공자 제자들 중 정사에 가장 뛰어났다고 평가받던 인물입니다. 역시 자로와 마찬가지로 정치 뿐 아니라 군사 일에도 매우 밝았습니다. 그야말로 평화시에는 재상, 전시에는 장군감입니다.

자로, 자공과 더불어 공자 제자들 중 여러 세력가들로부터 영입 제의가 가장 많이 들어오던 인물입니다. 하지만 능력면에서는 자로와 비길 만 해도 덕성 면에서는 전혀 그렇지 않았던 모양입니다. 자로는 대쪽같이 강직한 인물로 자신의 안위나 출세를 위해 도덕적 명분을 꺾지 않는 사람이었습니다. 반면 염구는 세력가들에게 적당히 양보하고 원하는 일을 해주었습니다. 요즘 같으면 이런 인물을 유능하다고 할까요?

논어에서 공자는 염구에 대해 자주 노여움을 표시합니다. 나중에는 제자들에게 염구를 집단 성토하라고 명령하기까지 했습니다. 일종의 배신자 취급을 한 셈이죠.

자장(子張)

이름은 전손사이며 자가 자장입니다. 여러 모로 자공과 비슷한 인물입니다. 영리하고 재주가 많고 또 공자에게 질문도 많이 합니다. 다만 공자가 세상을 떠날 당시 스물 다섯 밖에 되지 않을 정도로 젊어, 대략 3세대 제자쯤 됩니다. 공자가 말년에 얻은 젊은 제자이며 그 재주도 매우 뛰어났기에 사랑을 듬뿍 받았습니다. 공자는 재주가 너무 뛰어나 오히려 학문을 깊게 파지 못하고 학자가 아니라 실무자로 대성해버린 자공을 아쉬워했기 때문에 자장을 잘 다듬어 키워볼 생각이었던 모양입니다. 그래서인지 공자가 세상을 떠난 뒤 다른 제자들, 즉 동문 사형제들의 시기도 많이 받았습니다.

자장은 특히 예악, 즉 예법과 음악에 매우 능했습니다. 공자가 세상을 떠난 뒤 제자들은 내면의 덕을 중요하게 생각하는 학파(내성파)와 외적인 예법을 중요하게 생각하는 학파(숭례파)로 갈라졌는데, 자장은 이 중 숭례파의 리더가 되었습니다. 내면의 덕을 중요하게 생각하는 학파는 증삼을 중심으로 모였습니다.

증삼의 제자인 자사, 그리고 그 제자인 맹자가 이후 유교에서 막

강한 영향력을 행사했고, 그 맹자를 정신적으로 계승한 주자의 사상이 송, 명, 그리고 우리나라 조선 유학을 지배했기 때문에 자장은 상대적으로 평가절하되었습니다.

자여(子與)

증삼 혹은 증자(曾子)라 불리기도 합니다. 내면의 덕과 이를 갈고 닦는 수양, 수행을 강조한 내성(內省)파를 대표합니다. 효성으로 유명했고, 하루에 세번 반성했다는 자기 고백에서 확인할 수 있듯 늘 내면을 살피고 이를 바르게 유지하는 것이 공자의 가르침이라고 주장했습니다. 그리하여 예법을 강조한 숭례(崇禮)파의 자장, 자하와 다른 길을 가게 되었습니다.

손자 제자인 맹자 덕분에 내성파가 숭례파를 대신하여 유교의 정통이 되면서 후세에 많은 존경을 받아 문묘에 배향되어 공자, 안회, 자사, 맹자와 함께 증자라는 경칭으로 오성 중 하나가 되었습니다.

그런데 막상 공자는 증삼을 그리 높게 평가하지 않았습니다. 효성과 성실성은 인정하지만 너무 융통성 없이 꽉 막혔다고 봤습니다. 또 머리가 그리 좋은 편은 아니라 "둔하다."라는 평가를 받기까지 했습니다. 하지만 좌절하지 않고 끈질기게 공부하고 익히고 성찰하는 성실성을 무기로 결국 공자 학파의 주류가 되었습니다.

3. 논어의 주요 개념들

논어에 나오는 주요 개념들은 인, 충, 예, 신 과 같이 한 글자의 한자로 되어 있는 경우가 많습니다. 이때 자전(옥편)에 나오는 뜻풀이대로 이 개념을 옮기면 오히려 바른 이해를 방해할 수 있습니다. 가령 충을 "임금에게 충성하고" 이런 식으로 이해하면 이 개념을 심각하게 오해하는 격이 됩니다. 그렇다고 그 뜻을 충분히 풀어서 옮기면 번역문이 너무 길어집니다. 그래서 옮긴이는 이런 중요한 개념들은 뜻을 풀지 않고 그대로 사용하였으며, 대신 그 풀이를 따로 서술하였습니다.

군자(君子)와 소인(小人)

원래 군자와 소인은 춘추시대의 신분이나 계급을 가리키는 말이었습니다. 높은 지위에 있는 사람을 군자, 하찮은 지위에 있는 사람을 소인이라 불렀죠. 하지만 공자는 군자를 높은 지위에 올라 마땅한 자질을 갖춘 사람이란 뜻으로 사용합니다. 공자가 군자를 이런 의미로 사용하는 까닭은 당시 세상이 잘못되었음을 보이기 위함 입니다. 군자다운 사람이 군자 자리에 있어야 하는데 소인이 그 자리에 있으니 이 세상이 제대로 된 세상이겠느냐는 비판적 의미를 담고 있는 것이죠.

그렇다면 어떤 사람이 군자다운 사람이고 어떤 사람이 소인일까요?

덕을 이익보다 앞세우며 다른 사람을 배려하고 존중하면서 또한 문화적 소양과 예법까지 갖춘 사람이 바로 군자입니다. 반면 자신의 이익을 덕 보다 우선하는 사람이 바로 소인입니다. 공자의 이상정치라는 것도 한 마디로 요약하면 군주가 군자다운 사람을 발탁하여 군자의 자리에 앉히라는 것입니다.

인(仁)

공자 사상의 가장 핵심이 되는 덕목입니다. 다른 모든 덕목의 목적이기도 합니다. 하지만 딱 부러지게 정의하기는 어렵습니다. 흔히 '어질 인'이라는 뜻풀이에 따라 '어질다', '어짊' 과 같이 옮기기도 하지만, 어질다는 말도 모호하기는 마찬가지입니다. 공자도 인을 딱 부러지게 정의하지 않았습니다. 다만 인을 갖춘 사람의 특징을 여러가지 방식으로 비유하여 설명했습니다.

그 중 가장 유명한 것이 "자신을 극복하고 예를 회복함", "마음을 한결같이 유지하며, 다른 사람의 마음을 자기 마음처럼 헤아림(충서)", "내가 원하지 않는 일을 다른 사람에게 요구하지 않음"입니다. 이 말들을 통해 인한 사람의 특징을 어느 정도 정리해 볼 수 있습니다. 다른 사람의 처지와 입장을 헤아리는 넓고 따스한 배려의 마음, 이를 위해 자신의 충동이나 욕망을 절제하고 이런 마음 가짐을 꾸준히 유지할 수 있는 일관성, 이를 세련되고 정중한 말과 몸가짐으로 표현할 수 있는 예법과 교양 등입니다.

의(義)

인 못지 않게 해석의 여지가 많은 개념입니다. 훗날 맹자는 인과 짝을 이루어 인의라는 말을 자주 사용했습니다. 한자 풀이 대로라면 바르다, 올바르다 이런 의미를 담고 있습니다.

인이 내면의 선한 마음과 관련된 개인적인 덕목이라면 의는 세상에서 마땅히 지켜야 할 도리, 질서라는 의미를 담고 있는 공적인 덕목이라 할 수 있습니다. 군자란 내면에서 우러나오는 인함을 바탕으로 세상이 올바르게 돌아가도록 나서는 사람이라 할 수 있습니다. 혹은 군자란 인한 마음을 바탕으로 사회생활을 할 때는 예를 따르고, 공적인 생활에서는 의를 기준으로 삼는다 이렇게 말할 수도 있습니다.

인과 의는 서로 쌍을 이루며 보완관계를 이룹니다. 인하기만 하고 의가 부족하다면 비록 개인으로서는 훌륭한 인품을 가졌다 할 수 있지만 다만 한 사람의 착함에 불과할 뿐, 세상을 바로잡는 힘은 부족합니다. 반대로 의롭지만 인이 부족하다면 정의를 구현하기 위해 많은 피를 보는 것도 마다하지 않는 냉정하고 모진 사람이 되기 쉽습니다.

예(禮)

"구슬이 서말이라도 꿰어야 보배"라는 속담이 있습니다. 혹은 "옷이 날개"라는 말도 있습니다. 이는 아무리 훌륭한 본성, 본질을 가지고 있더라도 이를 드러내는 방식에 따라 훌륭해 질 수도 보잘 것 없어 질 수도 있다는 뜻입니다.

이는 사람에게도 마찬가지로 적용됩니다. 아무리 음악적 감성이 충만하고 음감이 뛰어나도 악곡의 형식, 연주 방법, 콘서트의 각종 관행이나 매너 등등을 갖추지 않는다면 그 재능을 인정받기 어렵습니다.

또 마음 속에 아무리 인과 의가 가득하더라도 그것을 드러내는 말과 행동이 거칠다면 어떨까요? 아무리 본 마음이 선량하다 하더라도 그 행동이 거칠다면 그냥 거친 사람입니다. 따라서 인과 의는 그 마음 뿐 아니라 그것을 잘 다듬어진 말과 행동으로 표현하는 것이 중요한데, 그것이 바로 예입니다.

그런데 공자가 말하는 예는 단지 정중하고 예의 바르게 행동하는 그런 수준의 것이 아닙니다. 하상주(夏商周) 삼대에 걸쳐 훌륭한 임금과 성인들이 제정한 말과 행동의 절차와 방식을 말합니다. 여기에는 일상생활의 말과 행동하는 방식에서부터 만나고 대화하는 방식 가족이나 나라의 각종 경조사, 제사, 행사의 절차 등등이 포함됩니다. 매우 세밀하고 까다롭습니다. 이 까다로운 행위규범을 따라하려면 상당한 인내심이 필요합니다.

무엇을 위해서 꾹 참는 것일까요? 단지 규범이 정해져 있기 때문에 참는다면 그것은 형식주의에 불과합니다. 그 바탕이 다른 사람과 공동체를 배려하는 마음에서 비롯된 것이라야 진정한 예입니다. 그래서 공자는 인한 사람은 자신을 억제하고 예로 돌아간다(극기복례)라고 한 것입니다.

충(忠)과 신(信)

인하고 의로운 마음을 가지는 것도 어렵지만 그 보다 더 어려운 것은 그 마음가짐을 꾸준히 유지하는 것입니다. 한번 가진 마음가짐을 꾸준하게 유지하는 것을 충이라고 합니다. 즉 충은 임금에게 복종하고 그런 것을 말하는 것이 아닙니다. 다만 한번 임금을 섬기기로 마음 먹었다면 그 마음을 어떤 일이 있어도 바꾸지 않는다는 점에서 "임금에게 충성을 다한다."는 말은 가능합니다. 하지만 논어에서 말하는 충은 임금에 대한 충이 아니라 인하고 의로운 마음에 대한 충입니다. 어떤 상황에서도 변함없이 꾸준히 인하고 의로운 마음을 유지하는 것입니다. 사람의 충은 그 사람의 말과 행실이 얼마나 일관성 있는가를 통해 잘 드러납니다. 따라서 자신이 한 말을 반드시 지키는 신은 충과 짝을 이루는 덕목이 됩니다. 마음이 꾸준한 사람이 말을 지키지 않을 수 없고, 말을 지키지 않는 사람의 마음이 꾸준할 수 없습니다.

중(中)

"지나침과 미치지 못함은 같다." 공자는 이렇게 말합니다. 심지어 이것은 미덕과 관련해서도 마찬가지입니다. "지나친 예는 무례다." 이렇게 말하고 있습니다. 공자의 제자들은 저마다 어떤 미덕에 강점이 하나씩은 있습니다. 하지만 자신의 강점을 과신하여 거기 치우치다 보면 오히려 미덕이 악덕이 되는 것입니다. 가령 예가 지나치면 형식주의자가 되고, 의가 지나치면 각박하고 냉정한 사람이 됩니다. 이 모든 것에는 적당한 수준이 있으며, 그 적당한 수준이 어느 정도인지는 상황과 조건에 따라 달라집니다.

이 상황과 조건은 어떻게 알 수 있을까요? 이때 필요한 것이 '지'입니다. 그래서 유교는 단지 인의 마음을 수양하고 예법을 익히는 것을 넘어서게 됩니다. 동서고금의 역사와 문헌, 시 같은 인문 교양을 '공부'하는 것도 매우 중요합니다. 이런 공부를 통해 사물의 시작과 끝을 헤아려 그 적절한 중간지점을 찾는 통찰력, 즉 지혜를 키울 수 있으니까요.

2부 논어 본문

이제 논어 본문을 읽어 봅시다. 논어의 본문을 읽기 전에 먼저 알아 두어야 할 것은 각 편의 제목이 무슨 뜻인지 너무 신경 쓸 필요 없다는 것입니다. 논어 각 편의 제목은 단지 제일 첫 단락의 첫 단어 혹은 첫 단락의 등장인물 이름을 편의상 사용한 것입니다.

또 논어는 체계적이고 논리적으로 구성된 책이 아니라 다만 어록입니다. 물론 그렇다고 아예 체계가 없는 것은 아니지만, 나름의 논리 체계를 가지고 서로 연결되는 단락들과 일종의 명언록, 잠언록처럼 뚝뚝 끊어져 있는 단락들이 섞여 있습니다. 이 책에서는 명언록, 잠언록 같은 명언들은 그냥 마음으로 새겨가며 읽기를 권장하며, 유교의 중요한 개념과 논리와 연결되는 부분만 따로 설명하기로 합니다.

제1편 학이

1. 공자께서 말씀하셨다. "배우고 때때로 익히면 또한 기쁘지 아니한가? 벗이 먼 곳에서도 오면 또한 즐겁지 아니한가? 남이 알아주지 않아도 서운해 하지 않으면 또한 군자가 아니겠는가?"

너무도 유명한 논어의 역사적인 첫 문장입니다. 심지어 논어를 읽어보지 않은 사람들 중에서도 학이시습(學而時習)이라는 말을 아는 경우도 많습니다. 입시학원 상호로도 쓰일 정도입니다. 학습이라는 말이 바로 학이시습의 준말이니 여러분에게는 아주 각별한 단락이 되겠습니다.

여기서 말하는 배운다는 말의 의미는 여러분이 책을 보고 선생님한테 듣고 배우는 것과 크게 다르지 않습니다. 익힌다는 것은 배운 것을 실제 실천에 옮겨 봄으로써 몸에 배도록 하는 것입니다. 이렇게 배우고 익히면 지식과 실천을 겸비한 훌륭한 사람이 될 것이고, 당연히 자랑하고 싶은 마음이 생길 것입니다. 하지만 이 유혹에 넘어가지 않고 평정심과 겸손함을 유지할 수 있어야 군자라 할 수 있을 것입니다.

2. 유자가 말했다. "그 사람됨이 효성스럽고 공손하면서 윗사람 범하기를 좋아하는 자는 드물며, 윗사람 범하기를 좋아하지 않으면서 분란 일으키기 좋아하는 자는 없다. 군자는 근본에 힘을 쓰나니, 근본이 서면 도가 이루어진다. 그러므로 효성스러움과 공손함은 인을 행하는 근본일 것이다."

3. 공자께서 말씀하셨다. "말을 교묘하게 하고 얼굴 빛을 꾸미는 사람은 인한 이가 드물다."

교언영색이라는 말이 여기서 나왔습니다. 그런데 이 말은 흔히 알려진 것처럼 듣기 좋은 말과 보기 좋은 표정으로 비위를 맞추고 아첨하는 것을 비판하는 것만은 아닙니다. 오히려 겉으로 보기에 예의 바르게 말하고 행동하더라도 그 마음이 인하지 않은 경우를 비판하는 것입니다. 예의 바른 말과 행동은 일부러 꾸며서 나오는 것이 아니라 인한 마음에 서 저절로 우러 나오는 것이라야 합니다.

4. 증자가 말했다. "나는 날마다 세가지 일로 자신을 반성한다. 남을 위해 일을 함에 정성스러웠는가, 벗과 사귐에 신실했는가, 전수받은 것을 익혔는가?"

5. 공자께서 말씀하셨다. "천승의 나라를 다스릴 때에는 일을 신중하게 처리해서 백성의 믿음을 얻고 재물을 아껴 쓰고 백성을 사랑하며 때에 맞게 백성을 부려야 한다."

6. 공자께서 말씀하셨다. "자식이나 아우 된 자는 집안에서는 효도하고 나가서는 공손하며 행동은 조심하고 말은 신실하게 하며 널리 사람을 사랑하되 인한 이를 가까이할 것이며 그렇게 행하고도 여력이 있으면 시서육례를 배우는데 쓴다."

3장과 의미가 연결됩니다. 시와, 서(역사, 정치 문헌), 그리고 육례의 예법을 배우면 정중하고 세련된 말을 할 수 있고, 또 예의 바르고 우아한 행동을 할 수 있게 됩니다. 하지만 그것을 배우기 전에 먼저 어질고 절제되고 공경하는 마음을 갖추는 수양을 해야 한다는 의미입니다. 그렇게 수양이 되어 마음에 인과 경이 갖추는 것이 본바탕이며, 시서육례(시, 서, 그리고 여러 예법)는 다만 그것을 드러내는 재료와 방식일 뿐입니다.

7. 자하가 말했다. "어진 이를 어질게 여기기를

여색을 좋아하듯 하며, 부모를 섬기되 온 힘을 다하며, 임금을 섬기되 온몸을 바치며, 벗을 사귐에 말에 신실함이 있으면 비록 배우지 못하였다 하더라도 나는 반드시 그는 배웠다고 말하겠다."

8. 공자께서 말씀하셨다. "군자는 중후하지 않으면 위엄이 없고, 배운다 하여도 견고하지 못하다. 충과 신을 주로 하고, 나보다 못한 이를 벗하지 말며, 허물이 있으면 고치기를 꺼리지 말아야 한다."

충은 한번 먹은 마음을 고치지 않고 꾸준히 유지하는 것입니다. 신은 자신이 한 말을 지키는 것입니다. 이 둘은 함께 쉽게 흔들리지 않는 그런 인격을 이룹니다. 배웠다면 배운 것을 굳게 지키고 흔들리지 않아야 비로소 그게 자기 것이 되는 법입니다.

9. 증자가 말했다. "상사에 예를 다하고 제사에 정성을 다하면 백성들의 덕이 후하게 될 것이다."

10. 자금이 자공에게 물었다. "선생님께서 이 나라에 이르시면 반드시 그 나라 정치에 대해 들으시는데, 스스로 구해서 입니까 들어주는 것입니까?" 자공이 말했다. "선생님께서는 온화하시며 곧으시며 공경하시며 절제하시며 겸손하심으로써 얻으시니 선생님의 구하심은 다른 사람의 구함과 다를 것입니다."

공자의 중년기 때의 삶은 자신을 등용하여 뜻을 펼치게 해 줄 군주를 찾아 전국을 떠돌아다니는 방랑의 시간이었습니다. 그래서 어느 나라에 가든 먼저 그 나라 권력자를 찾아 정치에 대해 이야기하고자 하였습니다. 이런 모습을 좋지 않게 보는 사람들도 있었습니다. 입으로는 군자를 운운하며 도덕을 내세우지만 하는 짓은 출세하려 이 나라 저 나라 떠돌아다니는 다른 제자백가와 다를 바 없는 위선자라는 것입니다. 자금이라는 사람이 공자의 제자 자공에게 공자가 먼저 권력자를 찾는 것이냐, 권력자가 공자에게 자문을 청한 것이냐 따지는 것도 그런 상황입니다. 이런 식의 은근한 비난은 앞으로도 종종 나옵니다.

11. 공자님께서 말씀하셨다. "아버지가 살아 계실 때는 그 뜻을 살피고 돌아 가셨을 때에는 그 행동을 살피나니, 삼 년 동안 아버지의 도를 고치지 않아야 효라 할 수 있다."

12. 유자가 말했다. "예를 행함에는 조화가 중요하니 선왕의 도도 이를 아름답게 여겨 대소사가 모두 이를 따랐다. 예가 행해지지 않는 경우는 조화를 알고 조화롭지만 예로써 절제하지 않기에 이루어지지 않는 것이다."

13. 유자가 말했다. "약속이 의에 가까우면 말을 실천할 수 있고, 공손함이 예에 가까우면 치욕을 멀리할 수 있으며, 의지함이 친한 관계를 잃지 않으면 또한 지도자가 될 만하다."

14. 공자께서 말씀하셨다. "군자가 음식에 배부름을 구하지 아니하고, 거처에 편안함을 구하지 아니하며, 일에는 민첩하고 말은 삼가면서 도가 있는 이에게 나아가서 바로잡으면 배움을 좋아한다고 이를 만하다."

15. 자공이 말했다. "가난하면서 아첨하지 않고 부유하면서 교만하지 않으면 어떻습니까?" 공자께서 말씀하셨다. "괜찮긴 하지만 가난하나 도를 즐거워하고, 부유해도 예를 좋아하는 것만 못하다." 자공이 말했다. "시경에 자르고 다듬듯이 하며, 쪼고 가는 듯이 한다고 했는데 이를 두고 한 말이군요." 공자께서 말씀하셨다. "비로소 사와 더불어 시를 말 할 만하구나 지난 것을 말 해 주니 장차 올 것을 아는구나."

자공은 상업에 재능이 있었고 본인도 그것을 좋아했기 때문에 막대한 부를 이루었습니다. 그런데 자공은 공자가 청빈하게 사는 안회를 높이 평가하고 있는 것을 알기에 걱정하기도 했습니다. 그래서 자신은 비록 부자지만 교만하지 않으니 칭찬해 달라는 뜻에서 이런 말을 던진 것입니다.

하지만 공자는 여기서 한 단계 더 높은 경지를 제시하였습니다. 다만 겸손한 마음에 그치는 것이 아니라 그 겸손함을 예라고 하는 행위 규범과 절차에 맞게 드러내도록 수양하고 다듬으라는 것입니다. 겸손한 마음은 보석의 원석이지만, 이것을 잘 갈고 닦는 것이 바로 예입니다. 여기서 바로 자르고, 다듬고, 쪼고, 간다는 절차탁마 라는 말이 나왔습니다.

이 주제는 앞으로 계속 반복되어 나옵니다. 인은 선하고 훌륭한 마음의 원석이라 할 수 있습니다. 그리고 예는 이 마음의 원석을 잘 다듬어 모양을 낸 것입니다. 인 없는 예는 다만 형식주의이고 예 없는 인은 거칠어서 선함을 다하지 못합니다.

16. 공자께서 말씀하셨다. "사람들이 나를 알아주지 않음을 근심하지 말고 자신이 사람들을 알지 못하는 것을 근심하여라."

남이 알아주지 않아도 성내지 않는 까닭은 남이 나를 알아주는지에 큰 관심이 없기 때문입니다. 인한 사람은 남이 내 마음을 알아주기 바라는 대신 내가 남의 마음을 헤아리고 배려하는 사람입니다. 모두 이렇게 살기는 어렵겠죠. 하지만 다른 사람들을 다스리는 군자가 되려면 이런 마음가짐이 필요합니다.

제2편 위정

1. 공자께서 말씀하셨다. "덕으로 정치를 하는 것은 비유하자면 북극성이 제자리에 있지만 모든 별이 그곳으로 향하는 것과 같다."

공자의 정치사상은 덕치입니다. 덕으로 다스린다는 것이 무조건 베풀고 봐주는 것이 아닙니다. 덕치란 통치자가 백성들에게 바라는 행실을 법이나 무력으로 강요하는 것이 아니라 통치자가 스스로 본을 보임으로써 기꺼이 따르게 하는 정치입니다. 백성이 군주를 존경하고 사랑하게 만들 수 있다면 군주는 다만 성실하게 자기 생활을 하는 것만으로 백성이 따르게 할 수 있습니다. 이것을 북극성은 자기 자리를 지키지만 다른 별들이 이를 따르는 것에 비유하였습니다.

2. 공자께서 말씀하셨다. "시경 삼백 편을 한마디로 표현한다면 '생각에 부정함이 없다'이다."

공자는 <시경>을 매우 중요하게 여겼습니다. 이 당시 시는 읊기만 하는 것이 아니라 노래하는 것이니 시와 음악이 하나였습니다. 공자는 군자란 마음 안에 선함을 키우고 이것을 다듬어 드러내는 사람이라 했습니다.

공자는 마음 안의 선함을 키우기에 가장 좋은 것이 시라고 했습니다. 이때 시는 아무 시를 말하는 것이 아니라 공자가 엄선한 300편의 시, 즉 <시경>을 말합니다. 좋은 예술작품을 통해 인성을 함양하는 것은 오늘날에도 널리 인정받는 방법입니다.

3. 공자께서 말씀하셨다. "법으로 인도하고 형벌로 가지런히 하면 백성들은 면하려고만 하고 부끄러워하지 않는다. 덕으로 인도하고 예로 가지런히 하면 부끄러워하고 선에 이를 것이다."

법과 형벌로 다스리면 효과가 빠릅니다. 하지만 그렇게 해서는 백성들이 배우고 향상되는 바가 없습니다. 엄한 법과 형벌이 느슨해 지면 즉시 원래 상태로 돌아갈 것입니다. 따라서 공자는 덕으로 인도하고 예로 가지런히 하는 통치를 주장합니다. 그렇게 되면 그 시작은 느리더라도 백성들이 배우고 익힘으로써 자발적으로 질서를 지키고 충성할 것이라 주장했습니다.

교육에도 적용됩니다. 학생을 규칙과 처벌로 다스리면 학습이 일어나지 않고, 잘못을 저질러도 다만 벌을 두려워할 뿐 자신이 무엇을 잘못했는지 모릅니다. 하지만 도덕심을 길러주면 벌이 두려워서가 아니라 잘못이 부끄러워 바른 길을 찾아가게 됩니다.

4. 공자께서 말씀하셨다. "나는 열다섯 살에 학문에 뜻을 두었고 서른 살에 자립했고 마흔 살에 의혹하지 않았고 쉰 살에 천명을 알았으며 예순에 귀로 들으면 바로 이해하였고 일흔에 마음이 하고자 하는 대로 따라도 법도를 넘지 않았다."

교육자로서 공자의 면모를 보여줍니다. 공자가 자신의 경험을 바탕으로 인생의 발달과제를 제시하고 있기 때문입니다. 사람은 평생 똑 같은 수준에 머무르면 안 되며, 나이를 먹을 때 마다 성장해야 합니다. 그리고 그 성장 단계별로 성취해야 할 과제가 발달 과제입니다. 공자는 청소년기, 청장년기, 중년기, 노년기의 과제를 선명하게 제시하고 있습니다. 청소년기에는 학습, 청장년기에는 자립, 중년기에는 안정과 신념, 노년기에는 도덕적 완성을 목표로 하자는 것입니다.

5. 맹의자가 효에 대해 묻자 공자께서 "어기지 말아야 한다."라 말씀하셨다. 번지가 수레를 몰았는데 공자께서 말씀하셨다. "맹손이 나에게 효가 무엇이냐고 물었는데 어기지 말라고 대답 했다." 번지가 무슨 뜻인지 여쭈었다. 공자께서 말씀하셨다. "살아 계실 때에는 예로써 섬기고 돌아 가셨을 때에는 예로써 장례 지내고 예로써 제사 지내야 함을 말한다."

6. 맹무백이 효에 대해 묻자 공자께서 말씀하셨다. "부모는 오직 자식이 아픈 것을 근심한다."

7. 자유가 효에 대해 묻자 공자께서 말씀하셨다. "요즘 효라고 하면 잘 먹여 살리는 것을 말한다만, 개와 말도 다 잘 먹여주는데, 공경하지 않으면 무엇으로 구별하겠는가?"

8. 자하가 효에 대해 묻자 공자께서 말씀하셨다. "얼굴빛을 좋게 하는 것이 어려운 일이다. 힘든 일이 있으면 자식이 대신하고 술과 음식이 있으면 부형에게 올리는

이런 것 정도로 효라고 할 수 있을까?"

공자가 효에 대해 남긴 어록들이 연거푸 나오는 부분입니다. 그런데 오늘날 흔히 말하는 이른바 효도와는 거리가 있습니다. 효는 자식이 부모에게 일방적으로 바쳐야 하는 가부장적 상하윤리가 아닙니다. 공자가 생각한 효는 위 아래 양방향입니다. 부모가 자식을 사랑하고 보살피는 것을 일단 전제로 하고 있기에 그 보답으로서 효라는 덕목이 성립되는 것이죠. 만약 부모가 자식을 사랑하거나 보살피지 않았다면? 공자는 이렇게 대답할 것입니다. "그랬다면 너는 지금 이 나이까지 살아남지도 못했다." 사회보장제도가 존재하지 않았던 시대이니 더욱 그랬을 것입니다.

무엇보다 공자가 중요하게 생각한 것은 부모의 마음을 보살펴 주는 것입니다. 잘 먹여주고, 그러는 것이 아니라 자식이 아프지 말고, 늘 밝은 얼굴로 안심시켜 드리고 이러는 것이죠.

9. 공자께서 말씀하셨다. "내 안회와 종일 이야기하였는데 내 말을 거스르지 않아 어리석은 것 같았으나 물러 가서 행동하는 것을 살펴보니 충분히 이치를 밝히고 있었다. 회는 어리석지 않았다."

10. 공자께서 말씀하셨다. "그 사람의 행위를 보고 그렇게 한 까닭을 관찰하고 그 편안히 여기는 바를 살펴보면 어찌 숨길 수 있겠는가?"

11. 옛 것을 익히고 새것을 알면 스승이 될 수 있

다.

온고지신이라는 유명한 4자성어가 여기서 나왔습니다. 여기서 옛 것을 알면 새 것을 안다고 하지 않았음에 유의합시다. "옛 것을 익히면" 이라고 했습니다. 공자는 옛 것의 전승만 강조하는 보수적인 인물이 아니었습니다. 하지만 무작정 새것을 주장하는 급진파도 아니죠. 옛 것은 바로 새것이 될 수 없고 반드시 익히는 과정, 즉 어떤 변형과 적용의 과정이 필요합니다. 이 내용은 뒤의 23장에도 연결됩니다. 옛일을 충분히 알고 고찰할 수 있으면 미래의 일도 예측할 수 있는 법입니다.

12. 공자께서 말씀하셨다. "군자는 그릇이 아니다."

우리는 보통 인재를 '큰 그릇'이라고 표현합니다. 그런데 공자는 군자가 그릇이 아니라고 합니다. 이게 무슨 뜻일까요? 여기서 말하는 그릇은 모양, 크기, 용도가 한정되어 있다는 뜻입니다. 가령 1리터짜리 그릇에는 1리터 이상을 담을 수 없습니다. 찻잔을 밥그릇으로 쓸 수 없고, 밥그릇을 주전자로 쓸 수 없습니다. 공자가 말하는 군자는 기본 바탕이 되는 덕과 지식과 교양이 두텁기 때문에 특정한 역할, 기능에 한정되지 않는 그런 사람입니다.

13. 자공이 군자에 대해 묻자 공자께서 말씀하셨다. "말 보다 먼저 실행하고 그 뒤에 말을 하는 것이다."

14. 공자께서 말씀하셨다. "군자는 두루 사랑하면서 당파를 만들지 아니하고 소인은 당파를 만들면서 두루 사랑하지 않는다."

15. 공자께서 말씀하셨다. "배우고 생각하지 않으면 얻는 것이 없고, 생각하고 배우지 않으면 위태롭다."

16. 공자께서 말씀하셨다. "이단을 전공하면 해로울 뿐이다."

17. 공자께서 말씀하셨다. "유야 너에게 안다는 것을 가르쳐 주겠다. 아는 것은 안다고 하고 모르는 것은 모른다고 하는 것이 아는 것이다."

18. 자장이 녹을 얻는 방법을 배우려 하자 공자께서 말씀하셨다. "많이 듣고 의심스러운 부분을 빼 버리고 그 나머지를 삼가 말하면 허물이 적고, 많이 보고 위태로운 부분을 빼 버리고 그 나머지를 삼가 행하면 후회하는 일이 적을 것이니, 말에 허물이 적고 행동에 후회하는 일이 적으면 녹은 그 가운데 있다."

자공, 자로(유), 자장은 저마다 성품과 추구하는 바가 달랐습니다. 공자는 이들의 성향을 고려하여 같은 상황에서도 다른 대답을 합니다. 맞춤형 교육이라고 할 수 있습니다. 생각이 많고 말재주에 의존하는 자공에게는 말 보다 실천을, 실천력이 뛰어난 자로에게는 모르는 것은 모른다고 하라며 서둘지 말 것을, 자존심과 공명심이 컸던 자장에게는 겸손한 자세를 주문하고 있습니다. 군자라는 이상적인 인간형은 분명 하나지만 군자가 되기 위한 출발점이 서로 다르기 때문에 여기 도달하는 방법도 제각각인 것입니다.

19. 애공이 어떻게 하면 백성이 복종하느냐고 묻자 공자께서 대답하셨다. "정직한 사람을 등용하고 굽은 사람을 버려 두면 백성이 복종하고, 굽은 사람을 등용하고 정직한 사람을 버려 두면 백성이 복종하지 않습니다."

20. 계강자가 물었다. "백성으로 하여금 공경과 충성을 권면하려면 어떻게 해야 합니까?" 공자께서 말씀하셨다. "대하기를 장중하게 하면 공경하고, 효도하고 사랑하면 충성할 것이며, 이것을 잘하는 사람을 등용하고 잘 못하는 사람을 가르치면 권면할 수 있을 것입니다."

권면이란 알아듣게 잘 타일러 바르게 행동하도록 하는 일을 말합니다.

21. 어떤 사람이 공자에게 말했다. "선생은 어찌하여 정치를 하지 않으십니까?" 공자께서 말씀하셨다. "서경에 효를 말하기를 효도하며 형제 간에 우애하여 정사에 베푼다고 하였으니 이것 또한 정치를 하는 것이다. 어찌 벼슬하는 것만이 정치가 되겠는가?"

통치자가 모범이 되면 백성이 자연히 통치자를 믿고, 따르며, 덕스럽게 행동하니 법과 형벌로 억지로 다스릴 필요가 없습니다. 그래서 공자는 자신의 개인적인 도덕 실천마저 정치라고 말하는 것입니다.

22. 공자께서 말씀하셨다. "사람이 신의가 없으면 사람이라고 할 수 있을지 모르겠다. 큰 수레가 멍에 매는 가로나무가 없고 작은 수레가 멍에 매는 갈고리가 없으면

어떻게 갈 수 있겠는가?"

23. 자장이 물었다. "십대의 일을 알 수 있습니까?" 공자께서 말씀하셨다. "은나라는 하나라의 예를 이어받았으니 더하고 뺀 것을 알 수 있으며 주나라는 은나라의 예를 이어받았으니 더하고 뺀 것을 알 수 있다. 혹 주나라를 계승한 나라가 있다면 비록 백대라도 알 수 있다."

24. 공자께서 말씀하셨다. "제사 지낼 귀신이 아닌데 제사 지내는 것은 아첨하는 것이고, 의를 보고 행하지 않는 것은 용기가 없는 것이다."

제3편 팔일

1.　　　공자께서 계씨에 대해 말씀하셨다. "대부의 뜰에서 팔일무를 추니 이런 일을 차마 한다면 무엇인들 못하겠는가?"

2.　　　세 대부 집에서 옹을 연주하면서 제사를 끝내니 공자께서 말씀하셨다. "'제후가 도우니 천자의 위용이 성대하다'라는 노래를 어째서 세 대부의 집에서 연주하는가?"

3.　　　공자께서 말씀하셨다. "사람이 인하지 않으면 예가 무슨 소용이며, 사람이 인하지 않으면 음악으로 무엇을 하겠는가?"

4.　　　임방이 예의 근본을 묻자 공자께서 말씀하셨다. "좋은 질문이구나. 예는 사치스럽기 보다는 검소해야 하고, 상사는 잘 치르기 보다는 차라리 슬퍼해야 한다."

5.　　　공자께서 말씀하셨다. "오랑캐 나라에 임금이 있는 것이 임금 없는 중국 여러 나라와 같지 않다."

6.　　　계씨가 태산에 여제를 지내자 공자께서 염유에게 말했다. "네가 바로잡을 수 없겠느냐?" 염유가 대답했다. "바로잡을 수 없습니다." 공자께서 말씀하셨다. "아 태산의 신이 임방만 못하다 하겠느냐?"

앞의 여섯 장들은 주로 예와 관련된 내용입니다. 공자가 생각한 난세의 징조란 다름아닌 예가 무너지는 것이었습니다.

예란 사회적 지위와 신분, 때와 장소에 따라 정해진 행위 규범입니다. 이 규범은 스스로 삼가고 서로 공경하는 마음을 바탕으로 지키는 것입니다. 따라서 예가 지켜지는 한 외적인 규율이나 형벌 없이 사회 질서가 유지됩니다.

그런데 여기서 팔일무라는 것은 천자의 마당에서 시행하는 행사에 나오는 춤이고, 옹이라는 노래 역시 제후와 천자가 거행하는 행사에 나오는 노래입니다. 이렇게 제후가 거리낌 없이 천자의 예법을 시행하고, 가신이 거리낌 없이 제후의 예법을 시행한다면, 이 꼴을 본 백성들 역시 삼가고 공경하는 마음이 사라져 무력과 형벌로 강제하지 않으면 다스릴 수 없는 상황이 되며, 그것이 바로 난세, 천하에 도가 떨어진 시대인 것입니다. 또 태산에서 하늘에 바치는 제사인 여제 역시 천자만 거행할 수 있는 제사인데, 이걸 일개 제후의 대부가 거행하고 있으니 공자 기준으로 보면 천하가 망조가 들어도 단단히 든 것입니다.

7. 공자께서 말씀하셨다. "군자는 다투지 않지만 있다면 활 쏘기다. 읍하고 사양하여 올라가고 내려와 벌주를 마시게 하니 그 다툼이 군자 답다."

8. 자하가 물었다. "예쁜 웃음에 보조개가 아름다우며 아름다운 눈에 흑백이 분명함이여, 흰 바탕에 채색하였네라고 하였으니 이는 무엇을 말한 것입니까?" 공자께서 말씀하셨다. "그림 그리는 일은 흰 바탕이 마련된 뒤에 한다는 말이다." 자하가 말했다. "(충과 신이) 예보다 앞선

다는 말이군요?" 공자께서 말씀하셨다. "나를 일으키는 사람은 상이로구나. 비로소 더불어 시를 말할 만하구나."

예나 지금이나 예는 스포츠에서 가장 잘 드러납니다. 서로 존중하고 삼가하는 가운데 승부를 겨루니까요. 이때 중요한 것은 겉으로 드러나는 격식이 아니라 그 예법을 지키고자 하는 마음입니다. 물론 마음만으로는 예가 성립되지 않습니다. 그 마음을 바탕으로 격식에 맞게 말하고 행동함으로써 예가 성립되죠. 하지만 먼저 마음 그 다음에 격식입니다.

공자의 제자 자장이 이를 그림에 비유하였습니다. 그림을 그릴 때는 먼저 바탕색을 잘 칠한 다음 여러가지 채색을 해야 한다는 시를 마음과 예법에 빗대어 설명하였고 공자는 이를 칭찬하였습니다.

9. 공자께서 말씀하셨다. "하례를 내가 말할 수 있지만 기나라에서 충분히 증명할 수 없으며, 은례를 내가 말할 수 있지만 송나라에서 충분히 증명할 수 없는 것은 문헌이 부족하기 때문이니 충분하다면 내가 증명할 수 있다."

하, 은은 모두 주나라 이전에 있었던 왕조입니다. 은은 공식적인 역사책에서는 상이라고 나오지만 그 도읍이 은에 있었기에 은이라고도 불립니다.

10. 공자께서 말씀하셨다. "체제를 올릴 때 강신 다음부터는 보고싶지 않다."

11. 어떤 사람이 체제의 뜻을 묻자 공자께서 "모르겠다. 체제의 의미를 아는 자가 천하를 다스린다면 이것을 보는 것과 같을 것이다." 라고 하면서 손바닥을 가리키셨다.

체라는 것은 큰 제사를 뜻하는데, 임금이 종묘에서 시조신에게 올리는 제사입니다. 당연히 일반 제후, 대부, 가신 등에게는 허용되지 않습니다.

예법이 무너져 너도 나도 상위 신분의 예법을 멋대로 따라하는 시대이다 보니 제후나 대부들도 멋대로 체제를 흉내내는 경우가 많았습니다. 그러다 보니 원래 체제 자체도 그 절차가 문란해지고 말았습니다. 그래서 강신 이후의 절차는 더 보고 싶지 않다고 말한 것입니다. 또 체제의 의미를 안다는 것은 천하의 예법과 그것을 통해 유지되는 질서의 의미를 안다는 뜻이니 당연히 그런 군주가 다스리면 공자가 꿈꾸는 이상정치도 가능할 것이고요.

12. 선조의 제사를 지낼 때는 선조가 곁에 있는 듯이 하며 신에 제사 지낼 때는 신이 있는 듯이 하였다. 공자께서는 "몸소 제사에 참여하지 않으면 제사를 지내지 않은 것과 같다"고 하셨다.

13. 왕손가가 물었다. "안방신에게 아첨하기 보다는 부엌신에게 아첨하는 것이 낫다고 하는데 무엇을 말한 것입니까?" 공자께서 말씀하셨다. "그렇지 않다. 하늘에 죄를 지으면 빌 곳이 없다."

14. 공자께서 말씀하셨다. "주나라는 하은 이대를

거울 삼았으니 문화가 찬란하게 빛난다. 나는 주나라를 따르겠다."

15. 공자께서 태묘에 들어가서 매사를 묻자 어떤 사람이 말했다. "누가 추인의 아들이 예를 안다고 했느냐? 태묘에 들어가서 매사를 묻는구나." 공자께서 듣고 말씀하셨다. "이것이 예이다."

16. 공자께서 말씀하셨다. "활 쏘기에서 과녁을 뚫는 것에 주력하지 않는 것은 힘이 서로 같지 않기 때문이니, 이것이 옛날의 도이다."

17. 자공이 초하루를 고하는 희생양을 없애고자 하자 공자께서 말씀하셨다. "사야 너는 양을 아끼느냐? 나는 예를 아낀다."

18. 공자께서 말씀하셨다. "임금을 섬김에 예를 다하는 것을 사람들은 아첨한다고 한다."

19. 정공이 물었다. "임금이 신하를 부리고 신하가 임금을 섬기는 것을 어떻게 해야 합니까?" 공자께서 말씀하셨다. "임금은 신하를 예로써 부리고 신하는 임금을 충으로써 섬겨야 합니다."

지금까지의 내용들은 공자가 실제로 예를 어떻게 삶속에서 구현하였는지 엿볼 수 있는 대목들입니다. 결국 예의 가장 핵심 정신은 상대를 존중하고 공경하는 마음에서 나의 말과 행동을 함부로 하지 않고 삼가는 것입니다. 그 중 공자가 태묘에 들어가서 담당자에게 매사를 물어가며 행동한 것에 주목할 필요가 있습니다. 공자가 설마 몰라서 물었을까요?

아닙니다. 모든 일에는 그 일의 담당자가 있으며, 자신이 아무리 학식이 많고 지위가 높더라도 담당자의 전문성을 존중해 주는 태도를 보여준 것입니다.

20. 공자께서 말씀하셨다. "관저는 즐겁지만 지나치지 않고 슬프지만 마음을 상하지 않는다."

관저는 음악의 한 종류입니다.

21. 애공이 사에 대하여 재아에게 묻자 재아가 대답했다. "하나라는 소나무로 하고 은나라는 잣나무로 하고 주나라는 밤나무로 하였으니, 밤나무는 백성들로 하여금 두려워하게 하려고 한 것입니다." 공자께서 듣고 말씀하셨다. "이루어진 일은 말하지 못하고 끝난 일은 간하지 못하고 지나간 일은 탓하지 못한다."

재아라는 제자는 논어에서 상당히 독특한 캐릭터입니다. 다른 부분에서는 재여라고 나오기도 합니다. 그런데 논어에서 재아는 항상 공자의 비난과 꾸지람을 듣는 존재입니다. 한 가지 확실한 것은 이 사람이 머리가 아주 좋다는 것입니다. 그래서 종종 많이 앞서 나가는 발언을 하고, 또 게으른 모습을 보여주기도 합니다. 그런데 논어에서 항상 꾸지람과 비난만 듣는 모습과 달리 공자의 수제자 그룹인 공문십철에 이름을 올리고 있기도 합니다. 이 대목에서도 재아는 아주 자신있게 옛 예법에 대해 군주에게 설명하였고, 공자는 그 사실을 뒤늦게 알고 탄식하고 있습니다. 아마 재아의 자신있는 설명이 잘못되었던 모양입니다. 한 마디로 "제대로 알지도 못하면서 엄청 아는 척을 했다만 이미 지나간 일을 어쩌겠는가?" 정도 되겠습니다.

이를 통해 확인할 수 있는 것은 재아는 공자의 수제자 그룹에 들어갈 정도로 재능은 뛰어났으나 인품이 이를 뒷받침하지 못 했으리라는 것입니다. 그래서 공자는 그를 높이 평가하고 키워준 것을 내내 후회하는 것입니다. 실제로 재아는 뛰어난 재주로 관직에 나가 승승장구했지만 야심이 과하여 반란을 일으키다 실패하고 죽었습니다.

22. 공자께서 말씀하셨다. "관중은 그릇이 작다." 어떤 사람이 관중이 검소하냐고 묻자 공자께서 말씀하셨다. "관씨는 세 집 살림을 하고 집안 일을 겸직 시키지 않았으니 어찌 검소하다 할 수 있겠느냐?" "그러면 관중은 예를 알았습니까?" 공자께서 말씀하셨다. "임금이라야 병풍으로 문을 가리는데 관씨도 그렇게 했고 임금이라야 두 임금이 회합 때 반점을 두는데 관씨 또한 반점을 두었으니 관씨가 예를 안다면 누가 예를 모르겠는가?"

관중은 제나라의 재상으로 주군인 환공을 도와 제나라를 춘추시대 최강국으로 키웠습니다. 반점은 술잔을 되돌려주는 의식입니다. 관중은 제나라 환공이 춘추시대의 패권을 쥐도록 도와준 재상으로 당시 많은 젊은이들의 워너비, 롤모델 그런 사람입니다. 하지만 공자는 관중을 맹렬하게 비판하는데, 그 이유는 예의를 모르고 주제넘게 행동했다는 뜻입니다. 즉 재상으로서 성공했다고 해서 왕이라야 쓸 수 있는 물건을 쓰고, 왕이라야 할 수 있는 예법을 행했으니, 이는 천하를 어지럽히는 짓이라는 것이죠.

23. 공자께서 노나라 태사에게 악에 대해 말씀하셨다. "악은 알아 둘 만하다. 시작할 때는 여러 음이 합해서 계속되면 조화를 이루고 분명하게 드러나면서 이어져 한 악장을 이룬다."

공자는 음악을 매우 중요하게 생각했습니다. 또 음악을 좋아하기도 했죠. 공자가 음악을 중요하게 여긴 까닭은 사람의 마음에 직접 작용하기 때문입니다. 공자는 음악에는 그 음악을 만든 사람의 마음이 숨김없이 깃들어 있고, 또 듣고 연주하는 사람의 마음에도 영향을 준다고 봅니다. 따라서 선한 마음을 가진 사람의 음악은 듣고 연주하는 사람의 마음을 선하게 만들어 주는 것입니다. 유교 하면 예를 떠올리는데 이 예는 항상 음악과 함께 행해지기 때문에 예악이라 불립니다. 오늘날에도 국민의례 등 중요한 의식에는 늘 음악이 함께 하죠. 공자는 고대 음악을 정리한 <악기>라는 책을 냈다고도 하는데 유감스럽게도 전해오지 않습니다.

24. 의 땅 국경지기가 뵙기를 청하며 말했다. "군자가 이곳에 이르면 내 일찍이 뵙지 못한 적이 없었습니다." 종자가 뵙게 해 주자 나와서 말했다. "그대들은 어찌 벼슬 잃은 것을 근심하는가? 천하에 도가 없어진 지 오래되어 하늘이 장차 선생님을 목탁으로 삼을 것이다."

25. 공자께서 순임금의 음악은 지극히 아름답고 지극히 선하다 하셨고 무왕의 음악은 지극히 아름답지만 지극히 선하지는 못하다고 하셨다.

26. 공자께서 말씀하셨다. "윗자리에 있으면서 너그럽지 않으며 예를 행함에 공경하지 않으며 상사에 임하여 슬퍼하지 않으면 내가 무엇으로 그 사람됨을 보겠는가?"

제4편 이인

1. 공자께서 말씀하셨다. "마을에 인후한 풍속이 있는 것이 아름다우니, 거처를 택해서 인후한 곳에 살지 않으면 어찌 지혜롭다 하겠는가?"

2. 공자께서 말씀하셨다. "인하지 못한 사람은 오랫동안 곤궁함에 처하지 못하며 오랫동안 즐거움에 처하지도 못한다. 인한 자는 인을 편안히 여기고 지혜로운 자는 인을 이롭게 여긴다."

3. 공자께서 말씀하셨다. "오직 인한 자라야 사람을 좋아하고 미워할 수 있다."

4. 공자께서 말씀하셨다. "진실로 인에 뜻을 두면 악행을 하는 일이 없을 것이다."

세번째 단락만 보면 선뜻 이해가 안 갈 겁니다. 인한 사람이 다른 사람을 미워 하다니요? 하지만 이는 인을 갖춘 사람이라야 선과 악을 판단할 수 있다는 뜻으로 이해하면 됩니다. 물론 바로 다음 단락에서 진실로 인을 갖춘 사람이라면 다른 사람을 미워하거나 해꼬지 할 리가 있겠느냐고 바로 궁금증을 해소시켜 줍니다.

5. 공자께서 말씀하셨다. "부귀는 사람들이 바라는 바나 올바르게 얻지 않으면 처하지 아니해야 하며 빈천은 사람들이 싫어하는 것이지만 올바르지 않게 그리 되

었더라도 버리지 말아야 한다. 군자가 인을 버리면 어떻게 이름을 이루겠는가? 군자는 밥 먹는 동안이라도 인을 어기지 않으니 급하고 구차한 때나 엎어지고 넘어질 때에도 반드시 인에 의거해야 한다."

6. 공자께서 말씀하셨다. "나는 인을 좋아하는 자와 불인을 싫어하는 자를 보지 못했다. 인을 좋아하는 자는 더 이상 바랄 것이 없고 불인을 싫어하는 자는 인을 행함에 불인이 그 몸에 미치지 못하게 한다. 하루라도 그 힘을 인에 쓰는 자가 있는가? 나는 힘이 부족한 자를 보지 못했다. 있는데 내가 아직 보지 못했는지도."

7. 공자께서 말씀하셨다. "사람의 허물은 그 부류에 따라 각각 다르다. 허물을 보면 인을 알 수 있다."

이 일곱 단락은 침 흥미롭습니다. 인에 대해서 연거푸 언급하고 있는데 정작 인이 무엇인지는 전혀 설명하거나 규정하지 않고 있으니 말입니다. 인한 사람은 이렇고, 인하지 않은 사람은 저렇다는 식의 서술만 계속되고 있습니다. 이는 인이 구체적인 어떤 덕목이 아니라 삶의 태도, 세상과 다른 사람을 대하는 태도이기 때문입니다. 따라서 같은 행동이라도 상황에 따라 인 할 수도 인하지 않을 수도 있습니다.

8. 공자께서 말씀하셨다. "아침에 도를 들으면 저녁에 죽어도 좋다."

9. 공자께서 말씀하셨다. "선비로서 도에 뜻을 두고서도 나쁜 옷과 나쁜 음식을 부끄러워하는 자와는 더불어 의논할 수 없다."

10. 공자께서 말씀하셨다. "군자는 천하에 해야만 하겠다는 것도 없으며 절대 하지 않겠다는 것도 없으며 오직 의를 따를 뿐이다."

11. 공자께서 말씀하셨다. "군자는 덕을 생각하고 소인은 땅을 생각하며, 군자는 법을 생각하고 소인은 혜택을 생각한다."

12. 공자께서 말씀하셨다. "이익을 따라 행동하면 원망이 많다."

인이 개인의 마음, 성품과 관련된 덕목이라면 의는 세상, 사회와 관련된 덕목입니다. 인이 다른 사람의 처지를 헤아릴 줄 아는 따뜻한 마음이라면 의는 세상에서 마땅히 이루어지고 따라야 하는 바른 길을 말합니다. 인의 마음으로 사람들을 품고, 자신의 행실은 의에 따라 바르게 하는 것이 바로 군자의 길이며 이를 도라고 합니다. 사람들은 이익에 반응하기 마련입니다. 하지만 군자는 이익이 아니라 도를 즉 인과 의가 행동의 동기가 되는 사람입니다.

13. 공자께서 말씀하셨다. "예와 겸양으로써 하면 나라를 다스림에 무슨 어려움이 있으며, 예와 겸양으로 나라를 다스리지 않으면 예로 뭘 어찌 하겠는가?

14. 공자께서 말씀하셨다. "벼슬자리 없는 것을 근심하지 말고 그 자리에 설 자격을 근심하며, 남이 알아주지 않음을 근심하지 말고 알아줄 만한 사람이 되기를 힘써라."

15. 공자께서 "삼아 나의 도는 하나로 꿰뚫었다." 라고 말씀하시자 증자가 "예" 하고 대답했다. 선생님이 나가자 문인이 무엇을 말하는 것이냐고 물으니 "선생님의 도는 충서일 뿐입니다." 라고 증자가 말했다.

인이 무엇인지 설명할 만한 단서가 될만한 단락입니다. 물론 무엇인지는 직접 설명하지 않고요. 일단 공자 자신이 얼마나 도에 대해 철저한지 강조합니다. 아침에 도를 들으면 저녁에 죽어도 좋을 정도로 말이죠. 그러니 도에 뜻을 두면 가난 따위는 당연히 감수해야 하는 것이고요. 소인은 행위의 동기가 이익이지만 군자는 도입니다. 도에 바탕을 두지 않으면 예라고 하는 것도 한낱 형식에 불과합니다. 그런데 공자는 그 도를 일관된 어떤 원리로 설명할 수 있다고 말했습니다. 공자의 말은 여기까지 입니다. 그런데 공자의 제자 중 하나인 증자가 그 하나는 바로 충서라고 말합니다. 충이란 마음을 바꾸지 않고 일관되게 유지하는 것이며, 서는 다른 사람의 처지를 헤아리고 공감하는 것입니다. 즉 다른 사람의 처지를 헤아리고 공감하는 마음을 상황에 따라 흔들리지 않고 계속 유지하는 것, 이것이 일관된 도, 즉 인이라는 것입니다.

16. 공자께서 말씀하셨다. "군자는 의리에 밝고 소인은 이익에 밝다."

17. 공자께서 말씀하셨다. "어진 이를 보면 그와 같아지는 것을 생각하고 어질지 못한 이를 보면 마음속으

로 스스로를 살펴야 한다."

18. 공자께서 말씀하셨다. "부모를 섬길 때에는 가만히 간해야 하며 뜻을 따라주지 않아도 더욱 공경하고 어기지 아니하며 수고롭더라도 원망하지 말아야 한다."

19. 공자께서 말씀하셨다. "부모가 계시면 멀리 떠나지 아니하며 떠나더라도 일정한 방소가 있어야 한다."

20. 학이 편 11과 중복

21. 공자께서 말씀하셨다. "부모의 나이는 기억하지 않으면 안 된다. 한편으로는 기쁘고 또 한편으로는 두렵기 때문이다."

효에 대해 언급하고 있습니다. 인, 의, 충, 서에 대해 서술한 문구들을 이해한 다음에 효에 대한 말들을 읽어보면 효의 바탕 역시 인에서 비롯되고 있음을 알 수 있습니다. 효라는 것은 결국 자식을 사랑하고 걱정하는 부모의 마음을 헤아려 자신의 행동을 조심하는 데서 출발하는 것이고, 나아가 늙고 병들고 결국 돌아가실 부모의 어려움에 공감하는 것이니까요.

22. 공자께서 말씀하셨다. "옛날에 말을 하지 않은 것은 몸소 실천하지 못함이 부끄러워서다."

23. 공자께서 말씀하셨다. "절제하여 잘못되는 경우는 드물다."

24. 공자께서 말씀하셨다. "군자는 말에는 어눌하고 행동에는 민첩하고자 한다."

25. 공자께서 말씀하셨다. "덕은 외롭지 않다. 반드시 이웃이 있다."

26. 자유가 말했다. "임금을 섬김에 자주 간하면 욕을 당하고 친구 간에 자주 충고하면 소원해 진다."

앞의 네 장은 세상을 살아가는 방법, 일종의 처세술입니다. 결국 함부로 말을 하지 말라는 것이 되겠습니다. 인한 마음을 가진 사람이라면 말을 하기 전에 먼저 상대의 처지를 헤아려 이 말을 해도 될지 안 하는 것이 나을지 판단할 것입니다. 그리고 상대에게 무엇인가 도움이 필요하다면 말을 하기보다는 직접 행동으로, 물론 충분히 심사숙고한 다음에 하는 행동으로 보여주는 편이 낫습니다. 공연히 말만 많으면 갈등만 많아집니다. 그런데 말 하지 않고 묵묵히 행동만 하면 나의 선함을 누가 알아줄까 걱정할 수 있습니다. 하지만 반드시 알아주는 이웃이 있을 것이니 걱정 말라고 합니다.

제5편 공야장

1. 공자께서 “공야장은 사위 삼을 만하다. 비록 옥에 갇힌 적이 있으나 그의 죄가 아니었다.” 라 하시고 자기 딸을 시집 보냈다. 또 “남용은 나라에 도가 있을 때는 등용될 것이고 도가 없을 때는 형벌을 면할 것이다.” 라 하시고 조카딸을 시집 보냈다.

2. 공자께서 자천을 평해 말씀하셨다. “군자 답구나 이 사람이여! 노나라에 군자가 없다면 이 사람이 어디서 이러한 덕을 취하였겠는가?”

3. 사공이 “저는 어떻습니까?”하고 묻자 공자께서 “너는 그릇이다.”라 하셨다. “어떤 그릇입니까?” 라고 하자 “호연이다.” 라고 하셨다.

이 단락은 논어 전체에서는 그리 중요한 단락은 아니지만, 공자와 자공이 주고받는 티키타카가 들어 있어 흥미로운 단락입니다. 먼저 공자가 공야장, 자천 등의 인물을 칭찬합니다. 그러자 그 말을 듣고 있던 자공이 불쑥 “그럼 저는요?” 하고 묻습니다. 자공은 공자의 수제자 중 하나이며 자로와 더불어 사적으로도 가장 친밀한 제자입니다. 칭찬을 바라는 제자의 속을 뻔히 뚫어본 공자는 도리어 슬그머니 디스를 합니다. “그릇이다.” 이 말이 왜 디스일까요? 앞에서 공자가 “군자는 그릇이 아니다.” 라고 한 부분을 떠올리시기 바랍니다. 군자는 어떤 특정한 역할과 기능으로 제한되는 존재가 아닙니다. 그런데 공야장, 자천 등을 군자라고 칭찬하고 자공에게 "그릇"이라고 했으니 "너는 군자가 아니다."라고 말한 셈입니다. 하지만 자공 역시 그 속을 뚫어 보고 "어떤 그릇"이냐 물으며 선생님을 곤혹스럽게 합니다. 그러자 공자는 제사때 사용하는 고급 그릇인 호연이라고 말할 수밖에 없었습니다. 입니다. 너는 군자는 아니지만, 실망하지 마라, 군자 아닌 사람 중에서는 최상급이다 이렇게 달랜 것입니다.

4. 어떤 사람이 "염옹은 인하나 말재주를 부리지 않는다." 라고 말하자 공자께서 말씀하셨다. "말재주를 어디에 쓰겠는가? 말재주로 사람을 상대하면 자주 미움을 받게 된다. 그가 인한 지는 모르겠지만 말재주를 어디에 쓰겠는가?"

5. 공자께서 칠조개로 하여금 벼슬을 하게 하자 "저는 벼슬하는 것에 대해 아직 자신이 없습니다." 라고 대답했다. 공자께서는 기뻐하셨다.

6. 공자께서 말씀하셨다. "도가 행해지지 않아 뗏목을 타고 바다로 나간다면 나를 따르는 자는 유일 것이다." 자로가 이 말을 듣고 기뻐하자 공자께서 "유는 용맹을 좋아함이 나보다 나으나 사리를 헤아려 의에 맞게 하는 바가 없다."

7. 맹무백이 "자로는 인합니까?" 하고 묻자 공자께서 "알지 못하겠다." 라고 말씀하셨다. 또 묻자 공자께서 말씀하셨다. "유는 천승의 나라에서 군사를 다스리게 할 수는 있으나 그가 인한 지는 알지 못하겠습니다." "구

는 어떠합니까?" 공자께서 말씀하셨다. "구는 천 가구의 읍이나 백승의 가에서 읍장이나 가신이 되게 할 수는 있으나 그가 인한 지는 알지 못하겠습니다." "적은 어떠합니까?" 공자께서 말씀하셨다. "관복을 입고 조정에서 빈객과 회담을 할 수 있지만 그가 인한지는 알지 못하겠습니다."

8. 공자께서 자공에게 "너와 회는 누가 나으냐?" 라 하셨다. 자공이 대답했다. "제가 어떻게 감히 회를 바라겠습니까 회는 하나를 들으면 열을 알고 저는 하나를 들으면 둘을 알 뿐입니다." 공자께서 말씀하셨다. "그만 못하다. 나도 너도 모두 그만 못하다."

9. 재여가 낮잠을 자자 공자께서 말씀하셨다. "썩은 나무는 조각할 수 없고, 썩은 흙으로 쌓은 담장은 흙손질 할 수 없다. 내 재여에게 무엇을 꾸짖겠는가? 전에 나는 다른 사람들에 대해서 그 말을 들으면 그 행실을 믿었지만 지금은 그 말을 듣고도 그 행실을 살펴본다. 나는 재여 때문에 이를 고쳤다."

자공을 군자까진 아니라도 꽤 괜찮은 그릇이라고 했으니 이제 다른 훌륭한 제자들 역시 평가의 칼날을 피할 수 없겠죠? 어쩔 수 없습니다. 자공한테 나름 훌륭한 점을 가진 인재이긴 하지만, 군자라고 할 수 있는지는 모르겠다고 야박한 평가를 내렸으니 다들 마찬가지 평가를 받을 수 밖에요. 물론 그 정도로도 한 나라나 고을의 벼슬을 맡을 수준은 충분하다고 하니 어쨌든 칭찬은 칭찬입니다. 하지만 이를 통해 공자는 인한 사람, 즉 군자가 되려면 유능함 이상의 것이 필요하다는 것을 강조하고 있습니다. 다른 사람들을 헤아려야 하니 상황에 따라 유연하게 대처할 수 있어야 하고, 그런 마음을 꾸준히 유지해야 하니 늘 수양하는 삶의 태도를 갖추어야 합니다. 이게 기본 바탕이 되고 그 위에 유능함이 문채가 되어야 군자가 되는 것이죠.

하지만 이 평가에서 예외가 되는 제자가 둘 있습니다. 하나는 안회, 다른 하나는 재여입니다. 안회는 그야말로 완벽하다, 심지어 스승인 자기보다도 낫다며 엄청나게 높이 평가합니다. 반면 재여에 대해서는 다른 사람이 말하는 평판만 듣고 데려왔더니 영 엉망이다, 그래서 다른 사람 말을 의심하는 버릇까지 생겼다며 엄청나게 비난합니다.

10. 공자께서 말씀하셨다. “나는 굳센 사람을 보지 못했다.” 어떤 사람이 신정이라고 하자 공자께서 “정은 욕심이 많으니 어찌 굳세다 할 수 있는가?” 라고 하셨다.

11. 자공이 말했다. “나는 남이 나에게 하기를 원하지 않는 것을 나 역시 남에게 하지 않고자 합니다.” 공자께서 말씀하셨다. “사야 이것은 네가 할 수 있는 것이 아니다.”

12. 자공이 말했다. “선생님의 문장은 많이 들을 수 있었으나 성과 천도를 말씀하시는 것은 들을 수 없었다.”

13. 자로는 어떤 말을 듣고 아직 실행하지 못했으면 또 들을까 두려워했다.

영리한 자공은 스승이 말하는 인의 본질이 무엇인지 깨달았습니다. 그건 바로 다른 사람의 마음을 헤아리는 서, 그리고 그 마음을 꾸준히 하는 충인 것이죠. 그래서 "저는 인하고자 합니다."라고 말하는 대신 그 인의 본질을 설명하며 그렇게 하고자 한다고 말합니다. 마치 "저 잘했죠? 정답이죠?" 이러는 것 같습니다. 그런데 공자는 "그게 정답이긴 하지만 네가 할 수 있는 일이 아니다."라고 냉정하게 잘라 말합니다. 인의 본질을 아는 것과 그것을 꾸준히 실행하는 것은 또 다른 일이죠. 자공은 서의 의미를 깨달았지만 충은 머리가 좋다고 되는 게 아니라 꾸준한 수양이 필요한 법이죠. 반면 또 다른 수제자 자로는 비록 머리는 자공에 미치지 못하지만 실천에 강했던 것 같습니다. 배운것은 다 실천에 옮겨야 했기 때문에 너무 많이 배우는 것을 꺼릴 정도였으니까요.

14. 자공이 물었다. "공문자를 어째서 문이라고 합니까?" 공자께서 대답하셨다. "명민하고 배우기를 좋아하며 아랫사람에게 묻는 것을 부끄러워하지 않으니 이 때문에 문이라고 한 것이다."

15. 공자께서 자산(위나라의 유명한 재상)에 대해서 말씀하셨다. "그에게 군자의 도가 네가지 있으니 몸가짐이 공손하고 윗사람을 섬김에 공경하고 백성을 보살핌이 은혜롭고 백성을 부림이 의로웠다."

16. 공자께서 말씀하셨다 "안평중은 사람들과 잘 사귀도다. 오래 되어도 공경하는구나."

17. 공자께서 말씀하셨다. "장문중이 점치는 거북을 보관하는데 그 집 기둥머리에 산을 그리고 들보의 동

자기둥에 수초를 그렸으니 어찌 그가 지혜롭다 하겠는가?"

장문중은 노나라의 대부입니다. 당시 지혜롭다고 평판이 높았던 모양입니다. 그런데 거북으로 점을 치는 것은 당시 제후 이상이나 되어야 할 수 있는 예입니다. 공자는 주제넘는 짓을 하고 분수에 넘치는 사치를 부리는 사람이 어떻게 지혜로운 것이냐며 비판합니다.

18. 자장이 물었다. "영윤 자문이 세차례나 영윤이 되었어도 기쁜 기색이 없었고 세 번 그만두었어도 성난 기색이 없었으며 자기가 하던 영윤의 일을 새 영윤에게 알려 주었으니 어떻습니까?" 공자께서 말씀하셨다. "충성스럽다." "인합니까?" 하니 "알지 못하겠다. 어찌 인하다 하겠느냐?" 라고 하셨다. "최자가 제나라 임금을 시해하자 진문자가 가시고 있던 말 사십 필을 버리고 떠나 다른 나라에 이르러서 곧 말하기를 '우리 대부 최자와 같다.' 하고 다시 떠나 다른 나라에 가서 또 말하기를 '우리 대부 최자와 같다.' 하고 떠났으니 어떠합니까?" 공자께서 말씀하셨다. "청렴하다." "인합니까?" 라고 하자 "알지 못하겠다. 어찌 인하다고 하겠느냐?" 라고 말씀하셨다.

자문과 진문자는 모두 당대에 현명하다고 평판 높던 인물입니다. 자문은 영윤이라는 높은 벼슬에 올랐지만 기쁜 티를 내지 않았고, 억울하게 그 자리에서 물러나게 되어도 성낸 기색 없이 후임자에게 인수인계를 충실하게 했습니다. 보통 사람이 하기 어려운 일입니다. 진문자는 최자라는 인물이 군주를 시해하고 권력을 찬탈하자 전재산을 버리고 나라를 떠났습니다. 하지만 공자는 자문은 충성스럽고 최자는 청렴하다고 평가할 뿐 인하다고 까지는 평가하지 않았습니다. 왜 그랬을까요? 이미 앞에서 여러 번 나왔습니다. 충성스럽고 청렴한 것의 바탕이 아직 확인되지 않았기 때문입니다.

19. 계문자는 세 번 생각한 뒤에 행했다. 공자께서 들으시고 "두 번이면 된다."라고 말씀하셨다.

20. 공자께서 말씀하셨다. "영무자는 나라에 도가 있으면 지혜롭게 행동하고 도가 없으면 어리석게 보였으니, 그 지혜에는 미칠 수 있으나 그 어리석음에는 미칠 수 없다."

21. 공자께서 진나라에서 말씀하셨다. "돌아갈까? 돌아갈까? 고향의 젊은이들이 뜻은 크나 일에는 소박하고 서툴러 찬란히 문장은 이루었으나 마름질할 줄은 모르는구나."

22. 공자께서 말씀하셨다. "백이와 숙제는 남의 지난 잘못을 생각하지 않았다. 이 때문에 원망하는 사람이 드물었다."

23. 공자께서 말씀하셨다. "누가 미생고를 곧다고 하였는가? 어떤 사람이 식초를 빌리러 오자 이웃집에서 빌려다 주는구나."

24. 공자께서 말씀하셨다. "말을 교묘하게 하고 얼굴빛을 꾸미며 공손함을 지나치게 하는 것을 좌구명이 부끄러워했는데 나 또한 부끄러워하며, 원망을 숨기고 그 사람과 벗하는 것을 좌구명이 부끄러워했는데 나 또한 부끄러워한다."

25. 안연과 계로가 공자를 모시고 있었는데 공자께서 말씀하셨다. “각자 자기 뜻을 말해보지 않겠느냐?” 자로가 말했다. “탈 것과 입을 것을 벗과 함께 쓰다가 낡아 못쓰게 되더라도 유감이 없고자 합니다.” 안연이 말했다. “잘하는 것을 자랑하지 않으며 공로를 과시하지 않으려 합니다.” 자로가 말했다. “선생님의 뜻을 듣고자 합니다.” 공자께서 말씀하셨다. “늙은이를 편안하게 해주고 벗을 믿으며 젊은이를 품어주고자 한다.”

공자가 가장 높이 평가하는 제자인 안회, 그리고 제자를 넘어 거의 친구나 다름없는 자로를 불러서 이야기 하는 장면입니다. 공자가 뭔가 중요한 결심이 필요한 상황이었을 것입니다. 여기서 젊은이를 품어주고자 한다는 중요한 단서가 나옵니다. 친하를 떠돌아다니며 정치를 해 보려던 꿈을 접고 교육에 전념하려는 결심이 엿보입니다. 21번 단락과 연결됩니다.

26. 공자께서 말씀하셨다. “그만둘까 보다. 자기 허물을 알아서 마음속으로 자책하는 사람을 나는 아직 보지 못했다.”

27. 공자께서 말씀하셨다. “작은 고을이라 하더라도 반드시 충과 신이 나 정도 되는 사람은 있겠지만 나만큼 배움을 좋아하는 사람은 없을 것이다.”

제6편 옹야

1. 공자께서 말씀하셨다. "옹은 군주 노릇 하게 할 만하다." 중궁이 자상백자에 대하여 물으니 공자께서 "괜찮다. 간소한 사람이니."라고 말씀하셨다. 중궁이 말했다. "처함에 공경하고 행함에 간소하게 백성에게 임한다면 이 또한 괜찮지 않습니까? 간소하게 처하면서 간소하게 행하면 너무 간소한 것 아닙니까?" 공자께서 그 말이 옳다고 하셨다.

옹야의 첫 장은 의미가 쉽게 파악되지 않습니다. 옹은 공자의 제자 염옹인데, 염옹의 자가 중궁입니다. 원문은 옹은 남쪽을 향하게 할만하다 인데, 원래 군주가 신하를 만날 때 남쪽을 향하여 앉는 것이 예법입니다. 그래서 "군주 노릇 할 만 하다"로 옮기게 되는데, 이는 군주를 시킨다는 것이 아니라 군주를 보좌하여 나라를 다스릴만하다 정도로 이해해야 할 것입니다.

계속 반복되는 간소함이라는 말은 의전, 행사 따위를 거창하거나 너무 격식을 차리지 않는다는 뜻입니다. 의전, 행사 따위를 거창하게 하거나 격식을 차리면 신하와 백성이 번거로워집니다. 하지만 그렇다고 매사에 간소하기만 하면 군주의 몸과 마음이 해이해지기 쉽습니다. 그래서 중궁은 사적 공간에서 생활할 때는 오히려 공경하는 자세로 격식을 지키고, 백성에 대해서는 간소하게 하는 것이 옳지 않느냐고 반문하였습니다. 즉 자신에게 엄격하고 백성에게는 너그러운 통치자의 자세를 강조한 것입니다.

2. 애공(노나라 군주)이 물었다. “제자 가운데 누가 배움을 좋아합니까?” 공자께서 대답하셨다. “안회라는 자가 배움을 좋아하여 노여움을 옮기지 아니하고 잘못을 두 번 되풀이하지 않았는데, 불행히 명이 짧아 죽어 지금 없고, 배움을 좋아하는 다른 사람을 아직 들어보지 못했습니다.”

3. 자화가 제나라에 사신으로 갔는데 염자가 그 어머니에게 곡식을 주자고 청하니 공자께서 부(여섯 말)를 주라고 하셨다. 더 주기를 청하자 유(열 여섯 말)를 주라고 하셨다. 염자가 곡식 다섯 병(약 160 가마)을 주자 공자께서 말씀하셨다. “적이 제나라에 갈 적에 살찐 말을 타고 가벼운 가죽 옷을 입었다. 군자는 급한 사람은 도와주고 부유한 사람에게는 더 보태 주지 않는다고 나는 들었다.” 원사가 그의 가신이 되자 곡식 구백 말을 주었는데 사양하자 공자께서 말씀하셨다. “사양하지 말고 너의 이웃 고을에 나누어 주어라.”

4. 공자께서 중궁을 일러 말씀하셨다. “얼룩소 새끼라도 붉고 뿔이 잘 생겼으면 비록 제물로 쓰지 않으려 해도 산천의 신이 그를 버려 두겠는가?”

공자가 앞서 나온 제자 염옹을 칭찬하는 대목입니다. 염옹은 성품이 겸손하여 자신을 내세우지 않았는데, 그럼에도 인품과 재주가 훌륭하니 아무리 감추려 해도 결국 등용될 수 밖에 없다고 격려합니다.

5. 공자께서 말씀하셨다. "회는 그 마음이 석 달 동안 인을 어기지 아니하고, 나머지 사람들은 하루나 한달에 한번 인에 이르렀다.

6. 계강자가 물었다. "중유는 정치에 종사하게 할 만합니까?" 공자께서 말씀하셨다. "유는 과단성이 있으니 정치에 종사함에 무슨 어려움이 있겠습니까?" "사는 정치에 종사하게 할 만합니까?" "사는 사리에 밝으니 정치에 종사함에 무슨 어려움이 있겠습니까?" "구는 정치에 종사하게 할 만합니까?" "구는 재주가 있으니 정치에 종사함에 무슨 어려움이 있겠습니까?"

7. 계씨가 민자건을 비의 읍장으로 삼고자 하니 민자건이 말했다. "저를 위해 잘 거절해 주십시오. 만일 나에게 다시 하라고 하면 저는 반드시 문수(노나라와 제나라 국경) 가에 있을 것입니다."

8. 백우가 병에 걸리자 공자께서 문병하실 때 남쪽 창문에서 그 손을 잡고 말씀하셨다. "이런 일이 없는데 명이구나. 이 사람이 이 병에 걸리다니. 이 사람이 이 병에 걸리다니."

9. 공자께서 말씀하셨다. "한 대그릇의 밥을 먹고 한 표주박의 물을 마시면서 누추한 곳에서 사는 어려움을 사람들은 견디지 못하는데 회는 그 즐거워하는 바를 바꾸지 않으니 어질구나 회여."

10. 염구가 말했다. "선생님의 도를 좋아하지 않는 것은 아니지만 힘이 부족합니다." 공자께서 말씀하셨다. " 힘이 부족하면 중도에 그만 두는 법인데 지금 너는 스스로 한계를 긋는구나."

앞의 단락들은 공자가 가장 높이 평가한 안회의 훌륭함을 부각시키기 위해 다른 제자들을 등장시키는 부분입니다. 인에서 중요한 것은 다른 사람의 마음을 헤아릴 줄 아는 서 뿐 아니라 그 마음을 꾸준히 유지하는 충입니다. 여기서 우리는 안회가 충이라는 덕목에서 다른 훌륭한 제자들을 능가함을 알 수 있습니다. 일단 인한 마음에 도달했다 잃어버렸다를 반복하는 다른 제자들과 달리 몇 달 씩 그 마음을 유지할 수 있었으니 말입니다. 외적 환경이 아무리 가난하고 누추하고 괴롭더라도 말입니다. 하지만 재주가 있다고 소개된 염구만 해도 그런 인의 길(도)을 꾸준히 유지할 자신이 없어 약한 소리를 하고 있습니다.

11. 공자께서 자하에게 일러 "너는 군자다운 선비가 되지 소인 같은 선비는 되지 말라."고 말씀하셨다.

12. 자유가 무성의 읍장이 되자 공자께서 물었다. "너는 그 곳에서 쓸 만한 사람을 얻었느냐? 자유가 대답했다. "담대멸명 이란 사람이 있는데 다닐 때는 지름길로 가지 않으며 공적인 일이 아니면 저의 집에 온 적이 없습니다."

13. 공자께서 말씀하셨다. "맹지반은 자랑하지 않는구나. 패하여 달아날 때는 맨 뒤에 있다가 성문으로 들어가려 할 때 말에 채찍질을 하며 '뒤에 있으려고 한 것이 아니라 말이 나가지 않았다'라 말하였다."

14. 공자께서 말씀하셨다. "축타와 같은 말재주와 송조와 같은 아름다움을 갖고 있지 않으면 요즘 같은 세

상에서 화를 면하기 어려울 것이다."

특별한 의미가 있는 단락은 아니고, 다만 공자가 자신의 시대를 한탄한 문장입니다. 축타는 말재주 좋기로 유명한 사람이고, 송조는 당시 유명한 미남으로 군주의 부인을 유혹하여 출세한 인물입니다. 공자는 진실이 외면 받고 겉만 번지르르한 사람들이 인정받는 시대의 타락상을 꼬집고 있습니다.

15. 공자께서 말씀하셨다. "누가 능히 문을 거치지 않고 나갈 수 있으리오? 어찌 이 길로 가지 않는가?"

16. 공자께서 말씀하셨다. "바탕이 문채 보다 나으면 거칠고 문채가 바탕 보다 나으면 화사하기만 하다. 문채와 바탕이 잘 조화를 이룬 다음에야 군자라 할 수 있다."

17. 공자께서 말씀하셨다. "사람의 삶은 곧은 것이니 곧지 않고도 살 수 있다면 요행으로 죽음을 면한 것일 뿐이다."

18. 공자께서 말씀하셨다. "도를 아는 자는 좋아하는 자만 못하고 좋아하는 자는 즐기는 자만 못하다."

19. 공자께서 말씀하셨다. "보통 이상의 사람에게는 높은 도리를 말할 수 있으나 보통 이하의 사람에게는 이것을 말할 수 없다."

20. 번지가 지혜에 대해 묻자 공자께서 말씀하셨다. "사람이 해야 할 일에 힘쓰고 귀신을 공경하면서도 멀리하면 지혜롭다 할 수 있을 것이다." 인에 대해 묻자 "어

려운 일을 먼저하고 이익을 뒤로 하면 인하다고 할 만하다."

21. 공자께서 말씀하셨다. "지혜로운 자는 물을 좋아하고 인한 자는 산을 좋아하며, 지혜로운 자는 움직이고 인한 자는 고요하며, 지혜로운 자는 즐거워하고 인한 자는 장수한다."

앞 장까지는 인, 예, 충 등이 주로 다루어졌는데, 이제 여기에 지가 추가되었습니다. 여기서 말하는 지는 다만 지식, 지성 만을 이르는 것이 아니라 지혜에 가깝습니다. 단지 많이 알거나 이성적으로 추론하는 능력을 의미하는 것이 아니라 어떤 사물이나 상황의 본질을 꿰뚫어 보는 통찰력을 의미하죠.

통찰력을 얻으려면 다양한 경험과 많은 생각이 필요합니다. 그래서 인은 안정되고 변하지 않는 산에 지는 많이 움직이지만 길을 벗어나지 않는 강에 비유하였습니다. 여기서 말하는 물은 아무 물을 말하는 것이 아니라 강과 내를 통칭하는 말이니까요.

22. 공자께서 말씀하셨다. "제나라가 한번 변하면 노나라에 이르고 노나라가 한번 변하면 도에 이를 것이다."

공자는 노나라 사람 특유의 자부심을 공유하고 있었습니다. 그러니 제나라<노나라<이상국가 이런 식으로 설명하고 있습니다.

23. 공자께서 말씀하셨다. "모난 그릇이 모가 나지 않으면 모난 그릇이겠는가? 모난 그릇이겠는가?"

24. 재아가 물었다. "인자는 누가 우물 안에 사람이 있다고 말해주면 따라 들어가겠지요?" 공자께서 말씀하셨다. "어찌 그렇겠는가 군자는 가게 할 수는 있지만 빠뜨릴 수는 없으며 그럴듯한 방법으로 속일 수는 있지만 엉터리 방법으로는 속이지 못한다."

공자의 말썽꾸러기 제자 재아가 또 등장합니다. 재아는 재주는 뛰어났지만 게으르고, 또 공자의 말씀에 교묘하게 함정을 파 가며 반박하는 경우가 많았습니다. 하지만 공자 역시 그 속을 빤히 들여다 보았기 때문에 쉽사리 넘어가지 않았죠. 앞으로도 종종 나오지만 군자, 인자는 그저 착하기만 한 사람이 아닙니다. 화를 내기도 하고(의), 쉽게 속지도 않고(지), 과감할 때는 과감한(용) 그런 사람이죠.

25. 공자께서 말씀하셨다. "군자가 널리 글을 배우고 예로써 단속하면 또한 도에 어긋나지 않을 것이다."

26. 공자께서 남자를 만나자 자로가 불쾌해 하거늘 공자께서 맹세하여 말씀하셨다. "내가 예에 어긋나는 일을 했다면 하늘이 싫어할 것이다. 하늘이 싫어할 것이다."

남자는 위나라 임금 영공의 부인으로 음란한 여성으로 악명이 높았습니다. 위나라 임금 영공은 무능한 군주였기 때문에 부인에게 많이 휘둘렸던 모양입니다. 그래서 공자는 그

부인을 만나 정치를 논해보려 한 모양인데, 강직한 자로는 이게 정말 싫었던 모양입니다. 혹시 스승이 음란한 짓으로 관직을 얻으려 한 건 아닐까, 이런 의심까지 드니 말이죠. 설사 아니라도 세상에서 그렇게 볼 지 모르니 챙피하기도 하고.

27. 공자께서 말씀하셨다. "중용의 덕이 지극 하구나. 그 덕이 있는 사람이 드물게 된 지 오래 되었다."

28. 자공이 말했다. "만약 백성들에게 널리 베풀어서 많은 사람을 구제하면 어떻습니까? 인이라 할 수 있습니까?" 공자께서 말씀하셨다. "어찌 인에 그치겠느냐? 반드시 성일 것이다. 요임금 순임금도 그것을 늘 근심하셨다. 인자는 자기가 서고자 하면 남을 서게 하며 자기가 통달하고자 하면 남을 통달하게 한다. 가까운 데서 취하여 미루어 나가는 것이 인을 행하는 방법이라고 할 만하다."

제7편 술이

1. 공자께서 말씀하셨다. "전해주기만 하고 창작은 하지 않으며 옛 것을 믿고 좋아하는 것을 슬며시 우리 노팽에게 비교해 본다."

이 단락이 바로 술이부작이라는 유명한 사자성어가 나온 부분입니다. '술'이라고 하는 것은 어떤 사실이나 사안을 알아듣게 설명해 주는 것입니다. 서술한다 할 때의 그 술이죠. 원래의 의미를 최대한 살리는 것이 목적이지 거기에 말하는 사람의 새로운 해석이나 의미를 보태지 않습니다. 이는 공자의 교육 방침이기도 하지만 또한 학문에 접근할 때 취한 자세이기도 합니다. 자기 고유의 것을 만들려고 서두르거나, 자기 멋대로 뜯어고치지 않고, 일단 있는 그대로 전해주는 것을 기본으로 합니다. 있는 그대로 전해준다는 것이 복사하기 붙여넣기를 말하는 것은 아닙니다. 그 숨어있는 뜻까지 풀어서 전해주어야 하는 것이니 자기 생각을 함부로 드러내기 전에 먼저 깊은 공부를 하라는 뜻으로 한 말입니다.

2. 공자께서 말씀하셨다. "말없이 기억하고 배우기를 싫어하지 않으며 가르치는 것을 게을리하지 않는 것 중 어느 것이 나에게 있는가?"

3. 공자께서 말씀하셨다. "덕을 닦지 못함과 학문을 연마하지 못함과 의를 듣고 옮기지 못함과 불선을 고

치지 못함이 나의 근심이다."

공자가 나름 겸손한 태도를 보여준 어록들입니다. 이 겸손은 진짜 스스로를 낮춰보는 것이 아니라 자칫 해이해지기 쉬운 자신을 경계하는 것에 가깝습니다. 날마다 덕을 닦고, 학문을 연마하고, 의를 실천하고, 옳지 않은 것을 고치는 일을 해야 한다는 것입니다.

4. 공자께서 평소에 거처하실 때 편안한 듯하시며 기쁜 듯하셨다.

5. 공자께서 말씀하셨다. "심하다. 나의 노쇠함이여. 내가 다시 꿈에 주공을 보지 못한 지 오래 되었구나."

주공은 주무왕의 동생이자 사실상 주왕조의 설계자나 다름없는 인물입니다. 주공을 제후로 봉한 나라가 바로 공자의 고국인 노나라입니다. 따라서 공자에게 주공이라는 이름은 이상적인 군자의 상징이나 다름없습니다. 꿈에 주공을 만난다는 것은 군자의 도에서 벗어나지 않기 위해 자나 깨나 노력한다는 뜻입니다. 그래서 공자는 안이해진 자신을 자책하는 의미에서 주공을 뵙지 못했다고 한탄하는 것입니다.

6. 공자께서 말씀하셨다. "도에 뜻을 두고 덕을 굳게 지키고 인에 의지하며 예에 노닐어야 한다."

도라는 것은 사람이 마땅히 따라야 할 이치, 진리입니다. 이를 실천하면 마음가짐이 달라지는데 그것이 바로 덕입니다. 그리고 이 덕은 사람을 사랑하고 아끼는 고차원의 마음인 인에 이르게 되며, 이 인은 육예(六藝), 즉 인문, 예술 소양을 통해 다듬어지게 됩니다. 올바른 행동, 실천을 통해 키워낸 선한 마음을 인문, 예술 소양을 통해 다듬는 것, 여기에 공자의 모든 가르침이 요약되어 있습니다.

7. 공자께서 말씀하셨다. "육포 열 마리 이상으로 예를 행한 자를 내 일찍이 가르치지 아니한 적이 없다."

8. 공자께서 말씀하셨다. "애쓰지 않으면 열어 보여주지 않으며 답답해 하지 않으면 말해주지 아니하고 한 귀퉁이를 들어 보여 세 귀퉁이로 반증하지 않으면 다시 일러주지 않는다."

오늘날 우리 교육 문제와 관련하여 새겨 볼만한 문장입니다. 훈장님이 억지로 경전을 암송시키던 서당 이미지 때문인지 유교라고 하면 꽉 막힌 주입식 교육을 떠올리기 쉽습니다. 하지만 공자는 그런 교육을 하지 않았습니다. 공부는 어디까지나 학생이 스스로 하고 싶어서 하는 것이고, 또 선생님이 가르쳐 주신 것에 머무르는 것이 아니라 그것을 바탕으로 스스로 더 넓고 깊게 펼쳐 나가는 것입니다. 그런데 요즘 우리 사회는 학원에서 이미 다 된 것을 머리에 떠 넣어주는 그런 것을 공부라고 착각하고 있습니다. 그건 공부가 아닙니다.

9. 공자께서는 상을 당한 사람 곁에서 식사할 때 배부르게 먹지 않았고 이날 곡을 하시면 노래를 부르지 않았다.

인을 실천한다는 것은 다른 사람의 마음을 헤아리는 것입니다. 마음이 아픈 사람 곁에서는 즐거운 일을 삼가하는 것, 사소한 일이지만 이런 사소한 배려가 쌓이고 쌓여 인이 되는 것입니다.

10. 공자께서 안연에게 말씀하셨다. "등용되면 도를 행하고 버려지면 은거하는 것은 오직 나와 너만이 할 수 있을 것이다." 자로가 말했다. "선생님께서 삼군을 거느리신다면 누구와 함께 하시겠습니까?" 공자께서 말씀하셨다. "맨손으로 범을 잡고 맨몸으로 황하를 건너다가 죽어도 후회하지 않는 자와는 함께 하지 않을 것이니 반드시 일에 임하여 두려워하며 계획하기를 좋아하여 성공시키는 자와 함께 할 것이다."

공자와 그 제자들의 인간적인 면모를 보여주는 재미있는 부분입니다. 공자는 안회(안연)를 제자들 중 가장 높게 평가했습니다. 편애라 해도 될 정도였죠. 그래서 오직 안회만이 자신과 비슷한 경지에 이르렀다고 칭찬했습니다. 그러자 공자의 수석 제자격인(수제자란 뜻은 아닙니다) 자로가 샘이 났는지 만약 군대를 거느린다면 누구와 함께 할 것이냐고 묻습니다. 자로는 공자의 제자들 중 정치, 군사적 재능이 뛰어나고 용감하기로 소문난 인물이니 답정너라 할 수 있습니다. 하지만 공자는 그 뜻을 알고 있기에 일부러 용기 보다는 지혜를 갖춘 사람과 함께 하겠다며 자로가 원하는 대답을 피해 갑니다.

11. 공자께서 말씀하셨다. “부를 구하여 얻을 수 있는 것이라면 비록 채찍을 잡는 사람이라도 되겠지만 만일 구해서 얻을 수 없는 것이라면 내가 좋아하는 바를 따르겠다.”

12. 공자께서 삼가신 일은 재계와 전쟁과 질병이었다.

삼가한다는 것은 조심스럽게 대한다는 것입니다. 재계는 조상에게 제사 지내는 일입니다. 그러니 제사와 나라의 전쟁, 그리고 보건, 건강 이 셋을 신중하게 다루었다는 의미입니다.

13. 공자께서 제나라에서 소를 들으시고 배우신 석 달 동안 고기 맛을 모르셨다. 그리고 “음악을 지음이 이런 경지에 이를 줄 몰랐다”고 말씀하셨다.

여기서 소란 고대 중국의 전설적인 성군 순임금이 지은 음악을 말합니다. 기악곡과 성악곡이 따로 구분되지 않던 시절이니, 순임금이 작사, 작곡 했다고 보면 됩니다. 공자는 음악은 사람의 성품과 감정이 바로 반영된다고 보았습니다. 선한 사람의 음악에는 그 선한 성품이 고스란히 드러나는 것이죠. 그래서 순임금이 지은 음악을 듣고, 순임금의 높은 덕에 감화를 받아 그만 넋을 놓을 정도가 된 것입니다.

14. 염유가 “선생님은 위나라 임금을 도울까?” 라고 말하자 자공이 “알았다. 내 물어보겠다.”라고 말했다. 들어가서 “백이 숙제는 어떤 사람 입니까?” 라고 물으니 옛날의 어진 사람이라고 말씀하셨다. “후회했습니까?” 라

고 하니 “인을 구해서 인을 얻었으니 어찌 후회했겠느냐?” 라고 했다. 자공이 나와서 “선생님은 돕지 않을 것이다.” 라고 말했다.

15. 공자께서 말씀하셨다. “거친 밥 먹고 물 마시며 팔을 굽혀 베개를 하더라도 즐거움이 그 가운데 있으니 의롭지 않으면서 부유하고 귀한 것은 나에게 뜬 구름과 같다.”

16. 공자께서 말씀하셨다. “내가 2년여 정도의 시간을 빌려서 마침내 주역을 배운다면 큰 허물은 없을 것이다.”

17. 공자께서 항상 하시는 말씀은 시 서와 예를 지키는 것이었다. 모두 평소 하시는 말씀이었다.

18. 섭공이 자로에게 공자에 대하여 물으니 자로가 대답하지 않았다. 공자께서 말씀하셨다. ”너는 어찌하여 그 사람됨이 분발하여 밥 먹는 것을 잊으며 즐거워하며 근심도 잊어 늙음이 곧 이르는 것도 알지 못한다고 말하지 않았느냐?”

섭공은 초나라 관리 심제량인데, 섭지방을 다스렸다 하여 섭공이라 부릅니다. 훗날 초나라 재상이 됩니다. 공자에게 정치적으로 많은 자문을 구했고, 공자의 가르침대로 나라를 다스려 보려 애쓴 인물입니다. 이 이야기는 그보다 이전에 있었던 일로 보입니다. 공자를 청하기 전에 제자들 중 제일 연장자인 자로에게 “당신네 스승을 좀 소개해 보시오.”라고 청했던 모양입니다. 그러자 자로는 뭐라고 정리해서 말해야 할지 몰라 머뭇거린 모양입니다. 그러자 공자가 스스로 자신을 무엇인가에 분발하면 밥 먹는 것도 잊어버리는 사람이라고 정의하였습니다. 사상이나 학설 등등으로 자신을 정의하지 않고, 다만 공부와 일에 임하는 태도로 자신을 정의한 것입니다.

19. 공자께서 말씀하셨다. "나는 나면서 아는 자가 아니라 옛 것을 좋아하여 재빨리 구하는 자이다."

20. 공자께서는 괴이한 일, 힘쓰는 일, 어지러운 일, 귀신에 대해서는 말하지 않았다.

이른바 괴력난신을 말하지 않았다는 부분 입니다. 이걸 괴상한 힘, 어지러운 귀신 이렇게 옮기기도 하고 주자의 예를 따라 위와 같이 옮기기도 합니다. 한 마디로 공자가 일상적이지 않고 초자연적인 일에 대해 말하지 않았다는 뜻입니다. 이는 유교가 기본적으로 현실주의, 합리주의의 바탕에 서 있는 사상임을 보여줍니다.

21. 공자께서 말씀하셨다. "세 사람이 갈 때 반드시 나의 스승이 있으니 좋은 것은 골라서 따르고 좋지 않은 것은 고쳐야 한다."

22. 공자께서 말씀하셨다. "하늘이 덕을 나에게 주었으니 환퇴가 나를 어찌 하겠는가?"

환퇴는 송나라의 권력자 사마환퇴를 말합니다. 당시 공자는 송나라에서 강의하고 있었는데, 강의 도중 사마환퇴를 비판하는 발언을 한 모양입니다. 이에 사마환퇴가 성이나 포졸들을 거느리고 공자를 잡으러 옵니다. 이 말은 이때 제자들이 얼른 피신하라고 청할 때 한 대답입니다. 하지만 이런 멋진 말을 남겼음에도 불구하고 공자는 결국 변장하고 송나라에서 탈출했습니다.

23. 공자께서 말씀하셨다. "너희들은 내가 숨긴다고 생각하느냐? 나는 너희들에게 숨기는 것이 없다. 나는 행하면 반드시 너희들에게 보여 주었다. 이것이 바로 나다."

24. 공자께서는 문 행 충 신 네 가지로써 가르치셨다.

문행충신(文行忠信)은 요즘 식으로 말하자면 공자가 제자를 가르친 교육과정, 교과목이라고 할 수 있습니다. 이 각각이 무엇을 의미하는지는 해석이 분분하지만 일단 문은 경전, 시, 예, 악 등을 말하고 행은 배운 것을 실천에 옮기는 덕행을 말한다는 것 까지는 대체로 일치합니다. 충과 신은 마음이나 태도인데, 인을 실천하는 마음을 계속 유지하는 마음 수양과 관련될 것입니다.

25. 공자께서 말씀하셨다. "성인을 내가 볼 수 없다면 군자를 만나 볼 수 있으면 된다. 선인을 볼 수 없다면 한결같은 마음을 가진 사람을 만나볼 수 있으면 된다. 없으면서 있는 체하며 비었으면서 꽉 찬 체하며 곤궁하면서 넉넉한 체한다면 항심이 있기 어렵다."

항심이라는 것은 학문을 익혀 덕행을 하고자 하는 한결 같은 마음입니다. 이 마음이 계속되는 것이 충, 그리고 학문과 덕행에 대해 의심의 여지가 없도록 하는 것이 신입니다. 만약 한결 같은 마음이 없다면 그 사람이 아무리 학문을 많이 익혔다 하더라도 덕행을 할 것이라는 믿음이 가지 않겠죠.

26. 공자께서는 낚시질은 하시되 그물질은 하지 않으셨으며 주살을 쏠 때 잠자는 새는 쏘지 않으셨다.

27. 공자께서 말씀하셨다. "이치를 알지 못하고 창작하는 사람이 있느냐? 나는 그런 것이 없다. 많이 들어서 그중 훌륭한 것을 골라 따르며, 많이 보아서 기억하는 것이 아는 것 다음이다."

28. 호향 사람들과는 더불어 말하기 어려웠는데 동자가 찾아 뵙거늘 문인들이 의심하니 공자께서 말씀하셨다. "나아가는 자와는 함께하고 물러나는 자와는 함께하지 않을 뿐이니 어찌 심하다 하겠는가? 사람이 몸 가짐을 깨끗이 하여 나오면 그 깨끗함을 인정하고 지나간 일을 따져서는 안된다."

당시 호향이라는 고을 출신을 천하게 여겼던 모양입니다. 하지만 공자는 출신이 어디가 되었건 깨끗한 몸과 마음으로 새 출발을 한다면 지난 일을 따지지 말고 가르쳐야 한다고 말했습니다. 오히려 제자들보다 훨씬 열린 마음을 가지고 있었던 것입니다.

29. 공자께서 말씀하셨다. "인이 멀리 있겠느냐 내가 인을 하고자 하면 곧 인이 이른다."

지금까지 인에 대해 공자가 말한 내용을 따라가다 보면, 너무 어려워서 도저히 실천하기 어렵다는 생각이 듭니다. 하지만 그건 어디까지나 인에 도달한 상태인 것입니다. 그러니 인을 하고자 하는 꾸준한 노력이면 충분한 것입니다. 그것이 바로 충이며 항심입니다.

30. 진사패가 소공은 예를 아느냐고 묻자 공자께서 그렇다고 하셨다. 공자가 나가자 무마기에게 읍하고 나아가 "나는 군자는 편가르지 않는다고 들었는데 군자 역시 편을 가르는군요. 임금이 오나라에 장가를 들어 동성이 되므로 오맹자라고 하였는데 그런 임금이 예를 안다고 하면 누가 예를 모르겠습니까?"라고 말했다. 무마기가 이 말을 전해주자 공자께서 말씀하셨다. "나는 다행이다. 허물이 있으면 사람들이 반드시 아는구나."

법무부 장관에 해당되는 사패라는 벼슬을 하는 진나라 고관이 공자에게 노나라의 소공은 예를 아느냐 물었습니다. 공자는 다른 나라 관리에게 자기 임금을 나쁘게 말할 수 없어 그렇다 대답했고요. 하지만 진사패는 노나라 소공이 같은 성씨의 여성을 아내로 삼아 이를 감추려 이름을 맹자로 바꾸었는데, 이걸 모른 척 하다니 이중잣대가 아니냐 반박했습니다. 그러자 공자는 흔쾌히 자신의 잘못을 인정합니다.

31. 공자께서는 다른 사람과 노래를 해서 그가 잘하면 반드시 다시 하게하고 뒤에 화답하셨다.

32. 공자께서 말씀하셨다. "학문이라면 내 남만 못하겠냐만 군자의 도를 몸소 실천하는 것은 내 아직 못 했다."

33. 공자께서 말씀하셨다. "성과 인이라면 내 어찌 자처하겠는가? 그러나 행하는 것을 싫어하지 않으며 가르치는 것을 게을리하지 않을 뿐이라고 말할 수는 있다." 공서화가 말했다. "이것이 바로 제자가 배울 수 없는 것입니다."

공자는 감히 인을 이루었다 자처하지 않습니다. 다만 인을 향한 마음을 유지하고 꾸준하게 실천하는 것만큼은 자처할 수 있다고 제자들을 훈계합니다. 하지만 제자 공서화는 그마저도 어렵다고 대답합니다.

34. 공자께서 병이 심하여 자로가 기도하기를 청하자 공자께서 말씀하셨다. "그런 이치가 있느냐?" 자로가 대답했다. "있습니다. 뇌문에 너를 위해 천지 귀신에게 빈다고 했습니다." 공자께서 말씀하셨다. "그런 기도라면 한 지 오래다."

공자는 초자연적인 것을 좋아하지 않았습니다. 병이 심하면 몸조리를 잘 해서 이길 일이지 하늘과 귀신에게 빌 일이 아니라고 여겼습니다. 하지만 자로가 기어코 기도를 하자고 하니 내 알아서 다 기도 했다고 하며 완곡하게 거절합니다.

35. 공자께서 말씀하셨다. "사치하면 공손하지 못하고 검소하면 고루하다. 공손하지 못한 것 보다는 차라리

고루한 것이 낫다."

36. 공자께서 말씀하셨다. "군자는 항상 너그럽고 넓으며 소인은 늘 근심에 차 있다."

37. 공자는 온화하면서도 엄숙하고 위엄이 있으면서도 사납지 않으며 공손하면서도 편안하였다.

제8편 태백

1. 공자께서 말씀하셨다. "태백은 그 덕이 지극하다고 이를 만하다. 세 번 천하를 사양하였으나 그 자취가 없어 백성들이 그것을 칭송할 수 없었다."

태백은 주문왕의 큰아버지입니다. 동생 계력의 아들 희창이 제왕의 자질이 있다고 판단하여 왕위를 계승하지 않기로 결심했고, 더 권하지 못하게 멀리 남쪽 오 지방으로 떠나 버립니다. 덕분에 희창이 주문왕이 되어 태평성대를 이루었습니다.

2. 공자께서 말씀하셨다. "공손하지만 예가 없으면 수고롭기만 하고, 삼가기만 하고 예가 없으면 두렵고, 용맹하고 예가 없으면 난폭하고, 정직하되 예가 없으면 야박하다. 군자가 친척을 후하게 대하면 백성들은 인한 마음을 일으키고 오랜 친구를 버리지 않으면 백성들이 각박해지지 않는다."

예는 그 자체로는 미덕이 아닙니다. 미덕을 미덕 답게 드러내는 형식, 그릇이라고 할 수 있죠. 동서를 막론하고 마음을 예라는 형식을 갖추어 표현하는 것이 바로 문명입니다. 공손함, 삼가는 태도, 용감함, 정직함은 모두 미덕이지만 예라는 그릇에 제대로 담지 않으면, 비루함, 난폭함, 야박함이라는 야만이 되기 싶습니다.

3. 증자가 병이 들어 제자들을 불러서 말했다. “내 발과 손을 살펴보아라. 시경에 두려워하고 조심하기를 깊은 못을 지나가듯 엷은 얼음을 밟듯 하라 했는데 내 이제야 그런 걱정을 면하게 되었음을 알겠다. 제자들아.”

4. 증자가 병이 들어 맹경자가 문병을 가자 증자가 말했다. “새가 죽으려 할 때는 그 울음소리가 슬프고 사람이 죽으려 할 때는 하는 말이 착하다 합니다. 군자가 도에 대하여 귀하게 여기는 것이 셋이니 몸을 움직일 때는 사납거나 태만함을 멀리하고 낯빛을 바르게 할 때는 신실함에 가까워야 하며 말을 할 때는 비루하거나 도리에 어긋나지 않아야 합니다. 그 밖에 제기 다루는 일 등은 담당자에게 맡깁니다.”

5. 증자가 말했다. “능하면서도 능하지 못한 사람에게 물으며, 아는 것이 많으면서 적은 이에게 물으며, 있어도 없는 것 같고 가득해도 빈 것 같으며, 남이 범해도 따지지 않는 것을 일찍이 나의 옛 벗이 이렇게 했다.”

6. 증자가 말했다. “어린 임금을 부탁할 만 하며 백리의 국가를 맡길 만 하고 큰 일을 당하여 그 절개를 뺏을 수 없다면 군자다운 사람인가? 군자다운 사람이다.”

7. 증자가 말했다. “선비는 넓고 굳세지 않을 수 없다. 짐은 무겁고 길은 멀기 때문이다. 인으로써 자기 짐을 삼으니 또한 무겁지 않은가? 죽어서야 끝나니 또한 멀지 아니한가?”

논어는 체계적인 책이 아닙니다. 공자가 돌아가신지 한참 뒤에 이런 저런 어록들을 엮은 책이죠. 더구나 공자의 손자 제자 뻘 되는 증자가 늙어 세상을 떠날 때 이야기까지 나오는 것으로 보아 공자 시대보다 한참 뒤에 엮어졌음을 알 수 있습니다. 공자의 학파는 자하, 자장의 계열과 증자 계열 간의 논쟁이 치열했던 것으로 알려져 있는데, 이 대목들은 논어의 편찬 과정에서 증자 학파의 입김이 작용했을 가능성을 보여줍니다. 공자는 선한 마음과 이를 표현하는 절차, 규범, 문화인 예를 골고루 강조했습니다. 하지만 증자는 마음에 기울었고 자장은 예에 기울었죠. 이후 증자 계열의 맹자가 유교의 주류가 되면서 내적 마음의 수양을 중시하는 성리학으로 이어집니다.

8. 공자께서 말씀하셨다. "시에서 일어나며 예에서 서며 악에서 이루어진다."

시는 사람의 선한 본성을 일으킵니다. 예는 이것을 문명의 그릇에 담죠. 이 모든 것이 하나로 어우러진 것이 바로 음악입니다.

9. 공자께서 말씀하셨다. "백성은 도를 따르게 할 수는 있어도 알게 할 수는 없다."

짧은 문장이지만 그 뜻을 두고 논쟁이 많은 문장입니다. 공자에게 비판적인 쪽에서는 공자가 백성을 조작의 대상으로만 보았지 교육의 대상으로 보지 않은 것으로 해석합니다. 반면 공자에게 찬성하는 쪽에서는 백성에게 도를 행하게 하는 것은 억지로 시키어서라도 할 수 있지만 알게 하는 것, 즉 공부는 스스로 마음이 일어나야 하는 것이니 남이 시킬 수 있는 일이 아니라는 뜻으로 해석합니다.

10. 공자께서 말씀하셨다. "용맹을 좋아하고 가난을 싫어하는 것이 난이요 사람이 인하지 않은 것을 너무 미워하는 것도 난이다."

과유불급, 중용은 공자는 물론 동서고금 모든 도덕의 황금률입니다. 용맹한 사람이 가난을 싫어하면 당연히 난을 일으킵니다. 그런데 인을 너무 융통성 없이 추구하여 인하지 않은 것을 조금도 이해하지 않고 미워한다면 이 역시 난입니다.

11. 공자께서 말씀하셨다. "주공과 같은 훌륭한 재수를 갖고 있다 하더라도 교만하고 인색하다면 볼 것이 없다."

12. 공자께서 말씀하셨다. "삼 년을 배우고서도 벼슬에 뜻을 두지 않는 자를 얻기는 쉽지 않다."

13. 공자께서 말씀하셨다. "독실히 믿으면서 배우기를 좋아하며 죽음으로써 지키면서 도를 잘 실행해야 한다. 위태로운 나라에는 들어가지 않고 어지러운 나라에는 살지 않으며, 천하에 도가 있으면 나아가 벼슬하고 도가 없으면 물러나 은둔한다. 나라에 도가 있을 때는 가난하고 천한 것이 부끄러우며, 도가 없을 때는 부하고 귀한 것이 부끄러운 것이다."

도가 이루어질 때는 나아가 벼슬하고, 이루어지지 않으면 물러나 숨어살며 학문을 닦는다. 이것은 이후 수천년간 이어

온 선비 정신의 뿌리가 되었습니다. 선비 정신은 현실 출세주의도 아니며, 그렇다고 현실 도피주의도 아닙니다. 할 수 있는 여건이 되면 최대한 현실에 참여하고, 그렇지 않으면 구태여 자리에 연연하지 않는 것이 선비 정신입니다.

14. 공자께서 말씀하셨다. "그 지위에 있지 않으면 그 정사를 도모하지 않는다."

15. 공자께서 말씀하셨다. "악사 지가 처음 벼슬했을 때 연주한 관저의 끝 악장이 양양히 귀에 가득하다."

16. 공자께서 말씀하셨다. "뜻이 크지만 솔직하지 못하며, 무지하면서도 근후하지 못하며, 무능하면서도 신실하지 못하다면 난 그런 사람을 모른다."

17. 공자께서 말씀하셨다. "배울 때는 모자라는 듯이 하고 오히려 배운 것을 잃을까 두려워해야 한다."

학여불급(學如不及)이라는 유명한 경구입니다. 공부에는 끝이 없다는 의미로 종종 이해되지만 그 보다는 과유불급의 연장선상에서 해석하는 것이 올바를 것입니다. 지나치게 많이 아는 것 보다는 이미 아는 것을 새기고 실천하여 완전히 자기 것으로 하는 것이 더 중요합니다. 종종 세상을 망치는 사람들은 배움이 적은 사람이 아니라 너무 많은 것을 배운 사람입니다.

18. 공자께서 말씀하셨다. "우러러 볼만 하구나. 순임금과 요임금은 천하를 소유하고도 거기에 관여하지

않았으니.”

19. 공자께서 말씀하셨다. “위대하도다 요의 임금 노릇함이여! 우뚝하게 하늘만이 크거늘 오직 요임금만이 그것과 가지런했으니 백성들이 무어라 형용하지 못하는구나. 우뚝하다. 그 공업을 이룸이여! 빛나도다. 그 예악과 법도여!”

20. 순임금은 어진 신하 다섯이 있어 천하가 다스려 졌다. 무왕은 “나는 다스리는 신하 열 사람을 두었다.” 라 말했다. 공자께서 말씀하셨다. “인재 얻기가 어렵다고 하더니 그렇지 아니한가? 요순의 시대만이 주나라 보다 성했는데도 부인이 한사람 있었으니 아홉 사람 뿐인 것이다.천하의 삼분의 이를 차지하고도 은나라를 섬겼으니 주나라의 덕은 지극하다고 이를 만하다.”

21. 공자님께서 말씀하셨다. “우임금은 흠잡을 데가 없다. 음식은 소박하게 드시면서 귀신에게는 정성을 다하였으며 의복은 검소하게 입으시면서 예복과 의관은 아름답게 하였으며 거처하는 집은 나지막하게 꾸몄지만 봇도랑에는 온 힘을 다했으니. 우임금은 흠잡을 데가 없다.”

우임금은 하나라 시조입니다. 순임금으로부터 자리를 물려받았습니다. 근면, 성실, 검약으로 유명한 임금으로, 공자뿐 아니라 묵자로부터도 큰 존경을 받았습니다.

제9편 자한

1.　　　　공자는 이익, 천명, 인에 대해서는 말씀이 적으셨다.

이익은 공자가 추구하는 바가 아니고, 천명은 사람이 알 수 있는 영역이 아니며, 인은 꾸준히 실천할 뿐 무어라 정의하고 머리로 익히는 것이 아닙니다.

2.　　　　달항 사람이 말했다. "위대하구나 공자여! 널리 배웠으나 한가지도 내 세울만한 것이 없구나."공자께서 들으시고 제자들에게 말씀하셨다. "내 무엇을 전념할까? 말 모는 일에 전념할까, 활 쏘는 일에 전념할까? 나는 말 모는 일에 전념하겠다."

달항이라는 곳의 어느 사람이 공자를 비꼬았습니다. 그렇게 공부를 많이 했다는 사람이 뭐 하나 전문성 있는 것이 없다고. 그런데 공자는 군자란 전문인이 아니라 보편성을 가진 교양인이라고 앞에서 말한 바 있습니다. 그릇이 아니라고. 그래서 내가 활을 쏠까, 말을 몰까? 이렇게 반문한 것입니다.

3.　　　　공자께서 말씀하셨다. "삼베로 만든 관이 예에 맞으나 지금은 생사로 만드니 검소하다. 나는 대중을 따르겠다. 당 아래에서 절하는 것이 예이나 지금은 위에서 절하니 교만하다. 비록 대중과 어긋나지만 나는 당 아래에서 절하겠다."

4. 공자께서는 네 가지가 없으셨으니 사사로운 뜻이 없고 꼭 하겠다는 것이 없고 고집이 없고 나 라는 것이 없으셨다.

5. 공자께서 광 땅에서 위험에 처하자 이렇게 말씀하셨다. “문왕이 이미 돌아가셨으니 문이 여기에 있지 아니 한가? 하늘이 이 문을 없애려 하였다면 뒤에 죽을 사람이 이 문에 참여하지 못 했을 것이지만 하늘이 이 문을 아직 없애려 하지 않았으니 광인이 나를 어찌 하겠는가?”

공자는 자신을 등용해줄 군주를 찾아 천하를 돌아다니다 여러 차례 위기에 처했는데, 그 중 광이라는 고을에서 가장 심각한 위험에 빠졌습니다. 광이라는 땅을 약탈한 노나라의 세력가 양호라는 인물로 오해 받은 것입니다. 광 고을 사람들은 "옳다, 네가 제대로 걸렸다." 이러며 공자 일행을 감금하여 죽이려 했습니다. 이때 공자는 하늘이 주문왕의 학문을 끝장을 낼 생각이었다면 자신에게 그것을 배우고 익히게 했겠느냐? 만약 하늘이 학문을 이을 작정이라면 광 땅 사람들이 자신을 해칠 수 있겠느냐라며 제자들을 안심시켰습니다.

6. 태재가 자공에게 물었다. “공자는 성자이신가? 어찌 그렇게 능한 것이 많은가?” 자공이 말했다. “본래 하늘이 내신 성인이신데 또한 능한 것이 많다.” 공자께서 이 말을 들으시고 말씀하셨다. “태재가 나를 아는 구나 내 젊었을 적에 미천했기 때문에 비천한 일을 잘 하는 것이 많다. 군자는 잘 하는 것이 많아야 하는가? 많을 필요가 없다.” 노가 말했다. “선생님께서 나는 등용되지 못했기 때문

에 재주가 많다고 하셨다."

능한 것이 많다는 말은 절대 칭찬이 아닙니다. 손을 써서 하는 실질적인 일을 천하게 여겼던 시절이니까요. 하지만 공자는 자신을 조롱하는 말을 듣고 이를 교묘히 받아 칩니다. 자신을 걸맞는 자리에 등용하지 않고 엉뚱한 일만 시키니 결국 이런 저런 일에 능할 수 밖에 없지 않느냐 이렇게 말입니다. 그러니 나를 진정 성자라고 믿는다면 거기 맞는 자리에 등용해라 이런 뜻이 됩니다.

7. 공자께서 말씀하셨다. "내가 아는 것이 있는가? 아는 것이 없다. 어떤 비천한 사람이 나에게 묻는다면 그가 무지하더라도 나는 사물의 이치를 밝혀서 다 말해 줄 뿐이다."

8. 공자께서 말씀하셨다." 봉황이 오지 않으며 황하에서 그림도 나오지 않으니 내 이제 그만 두어야 하겠구나."

천하를 돌아다니며 도덕 정치를 구현하려 했으나 자리를 얻지 못한 공자는 때때로 이런 식으로 절망감을 드러내곤 했습니다. 봉황이 내려오거나 황하에서 그림이 나오는 것은 천명을 받을 군주가 등장한다는 일종의 조짐입니다.

9. 공자께서는 상복 입은 자와 관을 쓰고 옷을 차려 입은 자와 장님을 만났을 때 그들이 보이면 비록 어리더라도 반드시 일어나고 그 곁을 지날 때는 종종걸음을 치셨다.

10. 안연이 크게 탄식하며 말했다. “우러러보니 더욱 높고 뚫으려 하니 더욱 단단하며 쳐다보니 바로 앞에 있더니 홀연히 뒤에 있도다. 선생님은 차근차근 사람을 잘 이끌어서 문으로써 나를 넓혀 주시고 예로써 나를 다듬어 주셨다. 그만 두고자 해도 그만 둘 수 없어 내 있는 재주를 다하고 나도 서있는 것이 우뚝하다. 비록 따라가려 해도 어디서부터 해야 할지 모르겠다.”

11. 공자께서 병이 심해지자 자로가 문인을 가신으로 삼았다. 병이 차도가 있자 공자께서 말씀하셨다. “오래 되었구나 유가 잘못된 짓을 한 것이. 가신이 없어야 하는데 두었으니 누구를 속인 것인가 하늘을 속인 것이다. 내 가신의 손에 죽기 보다는 차라리 너희들 손에 죽는 것이 낫지 않느냐? 또 내 비록 거창한 장례는 못 치르더라도 길에서 죽기야 하겠느냐?”

공자가 병이 심하자 제자의 대표격인 자로가 가신을 두어 보살피게 했습니다. 그런데 공자는 왕이나 제후가 아닌데 하인이라면 몰라도 가신을 두면 안되는 것이죠. 그래서 공자는 예법에 어긋나는 짓을 했다고 꾸짖고, 또한 제자들이 직접 간병하지 않고 사람을 두어 간병한 무심함도 또한 꾸짖었습니다. 아마 후자가 진심이었을 것입니다. 아무리 바빠도 너희들이 돌아가며 간병하면 될 것을 신하를 두어 맡기느냐?

12. 자공이 말했다. “여기에 귀한 옥이 있다면 궤속에 넣어 감추어 두시겠습니까 좋은 값을 받고 파시겠습니까?” 공자께서 말씀하셨다. “팔아야지. 팔아야지. 그러나 나는 값이 맞을 때까지 기다리는 사람이다.”

귀한 옥은 공자를 비유한 것입니다. 자공이 공자 더러 벼슬을 하라고 은근히 권한 것이죠. 하지만 그 말을 알아들은 공자는 때가 되면 당연히 하겠지만, 적절한 예우가 아니면 안된다며 완곡하게 거절합니다.

13. 공자께서 구이에서 살고자 하자 어떤 사람이 "누추한데 어찌 하시렵니까?" 라고 말했다. 공자께서 말씀하셨다. "군자가 살면 어찌 누추함이 있겠느냐?"

14. 공자께서 말씀하셨다. "내가 위나라에서 노나라로 돌아온 뒤에 악이 바르게 되어 아와 송이 각기 제자리를 찾았다."

논어에는 공자가 음악에 대해 말한 대목이 여럿 나옵니다. 음악에 대해 자부심도 여러차례 드러냅니다. 하지만 공자가 음악을 정리한 <악기>라는 책이 남아있지 않아 확인할 수 없는 것이 애석합니다.

15. 공자께서 말씀하셨다. "나가서는 공경을 섬기고 들어와서는 부형을 섬기며 상사를 감히 힘쓰지 않음이 없으며 술 때문에 곤란해지지 않는 것 중 어느 것이 나에게 있는가?"

16. 공자께서 냇가에서 말씀하셨다. "흘러가는 것이 이와 같구나. 밤 낮 없이 쉬지 않는구나."

17. 공자께서 말씀하셨다. "나는 덕을 좋아하기를 여색을 좋아하듯이 하는 이를 보지 못했다."

18. 공자께서 말씀하셨다. “비유컨대 산을 만드는데 흙 한 삼태기가 모자라 이루지 못하고 그치는 것도 내가 그치는 것이며 평지를 만드는데 비록 흙 한 삼태기를 부어서 나가는 것도 내가 나아가는 것이다.”

19. 공자께서 말씀하셨다. “말해 주면 실천을 게을리하지 않는 자는 회일 것이다.”

20. 공자께서 안연을 일러 말씀하셨다”. 애석하구나 나는 그가 나아가는 것은 보았고 멈추는 것은 보지 못했다.”

얼른 들으면 칭찬 같지만 사실은 걱정하는 말입니다. 가장 사랑하던 제자의 단점을 지적한 것이죠. 그래서 비난이 아니라 애석해 하는 것입니다. 배우면 바로 실천하고, 또 배우면 또 실천하고 이러면서 도무지 휴식과 여유가 없는 것입니다. 이러면 건강을 유지하기 어렵겠죠. 그래서 안연은 스승보다 훨씬 먼저 젊어 세상을 떠나고 맙니다.

21. 공자께서 말씀하셨다. “싹은 났으나 꽃이 피지 못하는 것도 있으며 꽃은 피었으나 열매를 맺지 못하는 것도 있다.”

22. 공자께서 말씀하셨다. “뒤에 태어날 사람들을 두려워할 만 하니 어찌 그들의 장래가 지금 우리만 못하다 하겠는가? 그러나 사십 오십이 되어도 세상에 알려지지 않았다면 이 또한 두려워할 만 하지 않다.”

23. 공자께서 말씀하셨다. "옳은 말을 따르지 않을 수 있겠는가? 고치는 것이 귀하다. 부드러운 말을 기뻐하지 않을 수 있겠는가? 그 참 뜻을 찾아내는 것이 귀하다. 기뻐하기만 하고 그 참 뜻을 찾지 않으며 따르기만 하고 고치지 않는다면 나도 어찌할 수 없다."

앞의 3개 장은 안연과 달리 가망 없는 제자들에 대한 에둘러 하는 비판입니다. 공자는 겉치레, 말치레를 좋아하지 않았습니다. 말을 했으면 실행을 해야 하고, 실행이 어렵기에 말을 조심하는 것, 이게 공자가 선호한 학생입니다. 가슴에 새기지도 않을 것이며, 실천에 옮기지도 않을 것들을 글로, 책으로 배워 머리 속에만 잔뜩 집어넣는 것은 가장 경계하던 태도입니다.

24. 학이 8 과 중복됨

25. 공자께서 말씀하셨다. "삼군의 장수는 뺏을 수 있으나 필부의 마음은 빼앗을 수 없다."

26. 공자께서 말씀하셨다. "해진 솜옷을 입고도 여우나 담비 가죽옷을 입은 자와 함께 서서 부끄러워하지 않을 자는 아마 유일 것이다. 해치지 않고 탐하지 않는다면 어찌 좋지 않겠는가?" 자로가 종신토록 외우려 하자 공자께서 말씀하셨다. "이 방법이 어찌 좋다고 할 수 있겠는가?"

가난하고 미천한 사람과 나란히 서 있어도, 혹은 본인의 처지가 그렇게 되어도 마음이 떳떳하다면 다른 사람 눈 따위 신경 쓰지 않고 당당할 수 있는 마음가짐은 아무나 가질 수 없습니다. 공자는 제자 자로가 그런 마음을 가졌다고 칭찬합니다. 하지만 자로는 성격이 우직하여 스승의 가르침을 곧이곧대로 외우고 그대로 실행하려는 경향이 있어 공자는 이를 또 지적하였습니다.

27. 공자께서 말씀하셨다. "날씨가 추워진 뒤에야 소나무와 잣나무가 뒤늦게 시드는 것을 알 수 있다."

28. 공자께서 말씀하셨다. "지혜로운 사람은 사물의 이치에 어둡지 않고 어진 사람은 근심하지 않으며 용기 있는 사람은 두려워하지 않는다."

29. 공자께서 말씀하셨다. "함께 배울 수는 있어도 함께 도에 나아갈 수는 없으며, 함께 도에 나아갈 수는 있어도 함께 설 수는 없으며, 함께 설 수는 있어도 함께 권도를 행할 수는 없다."

30. "산앵두 꽃이 펄럭 펄럭 나부끼는구나. 어찌 그대를 생각하지 않겠는가만 집이 너무 멀구나." 공자께서 말씀하셨다. "생각하지 않을 뿐이지 어찌 멀다고 할 수 있는가?"

제10편 향당

1. 공자께서 향당에서는 성실하셨으며 말을 잘 못하는 듯하셨으나 종묘나 조정에서는 말을 분명하게 하셨고 오직 삼가셨다.

주나라 법에 1만2천호가 넘는 큰 고을을 향, 500호 정도의 고을을 당이라 하였습니다. 공자는 조정, 즉 공적인 자리에서는 말을 분명하게 하되 예의를 지켰고, 향당, 즉 지역사회에서는 말 보다는 성실하게 실천하며 살았습니다.

2. 조정에서 하대부와 말씀하실 때는 강직하셨고 상대부와 말씀하실 때는 온화하셨다. 임금이 계실 때에는 공경스러운 모습이면서도 위엄을 잘 갖추셨다.

3. 임금이 불러서 손님 접대하는 일을 시키면 얼굴빛을 바꾸고 발걸음을 머뭇거리듯 했다. 함께 서 있는 자와 읍할 때는 왼손 또는 오른손으로 하였으며 옷 앞뒤 자락이 가지런했다. 빨리 갈 때는 날개를 편 듯했고 손님이 물러가면 반드시 복명하여 말씀하기를 "손님이 돌아보지 않았습니다."라고 하셨다.

4. 공문에 들어갈 때는 몸을 굽혀서 용납하지 않는 것처럼 하였다. 서 있을 때는 문 가운데 서지 않았고 다닐 때는 문지방을 밟지 않았다. 임금 자리를 지나갈 때는 낯빛을 바꾸었고 발걸음을 머뭇거리듯 했으며 말을 잘 못하는 듯이 했다. 옷자락을 잡고 마루에 오를 적에는 몸을 굽히고 숨을 죽여 숨을 쉬지 않는 것처럼 하였다. 나올

때 한 계단을 내려와서는 얼굴빛을 펴고 온화하게 하였으며, 다 내려와서는 빨리 걸어 날개를 편 듯하였으며 자리에 돌아와서는 공경스러운 모습을 하였다.

5. 규를 잡을 때는 몸을 굽혀 이기지 못하는 듯 하였으며, 위로 올릴 때는 읍하듯 하고 아래로 내릴 때는 물건을 주듯 하였다. 낯빛은 바꾸어 두려운 듯하고 발걸음은 좁고 낮게 땅에 끄는 듯하였다. 잔치하는 자리에서는 얼굴빛이 온화하였으며, 사사로이 만날 때는 더욱 온화 하였다.

공자가 조정에 출근했을 때의 모습을 보여줍니다. 공문은 조정으로 들어가는 문입니다. 공자가 대궐에 들어갈 때, 당연하다는 듯이 들어가지 않고 늘 처음 궁에 들어가는 사람처럼 조심스럽고 겸허하게 행동했음을 보여줍니다. 규라고 하는 것은 당시관리들의 신분증입니다. 사극에서 대신들이 옥으로 된 팻말을 들고 있는 것 본 적 있을 것입니다. 그게 무겁기라도 한듯 조심스럽게 들었다는 것은 자신의 벼슬을 당연하게 여기거나 불만스러워 하지 않고 현재 직분을 늘 조심스럽고 과분하게 여기는듯 보였음을 말합니다.

6. 공자께서는 감색이나 주홍색으로 옷 가에 띠를 두르지 않았으며 홍색과 자주색으로 평상복을 만들지 않았다. 더울 때를 당해서는 갈포로 홑옷을 만들어 반드시 겉에 입었다. 검은 옷엔 염소가죽 옷, 흰 옷엔 사슴가죽 옷, 누런 옷엔 여우가죽 옷을 입었다. 평소에 입는 갖옷은 길게 하되 오른 소매를 짧게 하였다. 반드시 잠옷이 있었으니 길이는 한길 반이었다. 두꺼운 여우가죽이나 담비가

죽 옷을 입고 거처하셨다. 상복을 벗은 뒤에는 패물을 가리지 않고 착용하셨다. 예복이 아니면 반드시 줄여서 꿰메었다. 염소가죽 옷을 입거나 검은 관을 쓰고는 조문하지 않았으며, 매월 초하룻날에는 반드시 조복을 입고 조회에 나가셨다. 재계할 때는 반드시 베로 만든 명의를 입고 음식을 바꾸고, 거처하는 자리를 옮겼다.

7. 밥은 정미로 한 것을 싫어하지 않았고 회는 잘게 썬 것을 싫어하지 않았으며 밥이 쉬어서 상한 것과 상한 생선과 부패한 고기는 먹지 않았다. 색깔이나 냄새가 나쁘거나 덜 익은 것을 먹지 않았으며 때가 아니면 먹지 않았다. 썬 것이 바르지 않으면 먹지 않고 알맞은 장이 아니면 먹지 않았다. 고기가 비록 많아도 밥보다 많이 먹지 않았고 오직 술은 일정한 양이 없었으나 취해서 난잡한 데 이르지 않게 하였다. 시장에서 사온 술과 포를 먹지 않았고 생강 먹는 것을 그만두지 않았으나 많이 먹지는 않았다. 나라에서 제사 지낸 고기는 하루 밤을 묵히지 않았고 집에서 제사 지낸 고기는 삼 일을 넘기지 않았으며 삼 일이 지나면 먹지 않았다. 음식을 먹을 때 이야기 하지 않았고 잠잘 때도 말하지 않았다. 비록 거친 밥과 나물국이라도 반드시 제하였고 꼭 재계하듯 하였다.

8. 자리가 바르지 않으면 앉지 않았다.

이 세 부분은 공자의 일상생활, 즉 조정이나 공적인 자리가 아닌 자기 집과 마을에서 의식주 생활을 보여줍니다. 거처한다고 하는 것은 자기 집에 머무를 때라는 뜻입니다. 일상생활이 꽤 깔끔하고 까다로웠구나 하는 것을 알 수 있습니다.

9. 마을 사람들이 술을 마실 때 나이 많은 사람이 나가면 따라 나갔고, 굿을 할 때는 조복을 입고 동쪽 계단에 서 있었다.

10. 사람을 다른 나라에 보내 안부를 물을 때는 반드시 두 번 절하고 보냈다. 강자가 약을 보내오자 절하고 받으면서 “나는 잘 알지 못하기 때문에 감히 맛보지 못한다.”라 말했다.

강자는 당시 노나라의 세력가 중 한 사람입니다. 공자는 노나라 군주를 허수아비로 만드는 세력가들을 싫어했고, 그들도 이를 알고 공자를 싫어했습니다. 그러니 강자가 보낸 약을 함부로 먹을 수 없죠. 그렇다고 "이거 독약 아닌가?" 라고 내색할 수도 없고. 그래서 최대한 정중하게 거절하였습니다.

11. 마구간에 불이 났을 때 공자께서 조정에서 돌아와서 “사람이 다쳤느냐?” 라고 말하고 말에 대해서는 묻지 않았다.

12. 임금이 음식을 내려 주면 반드시 자리를 바르게 하고 먼저 맛보고, 날고기를 주면 반드시 익혀서 조상에게 올리고, 살아 있는 것을 주면 반드시 길렀다.

13. 임금을 모시고 밥을 먹을 때 임금이 제를 올리면 먹었다. 병이 나서 임금이 문병을 오면 머리를 동쪽으로 하고 조복으로 몸을 덮고 띠를 걸쳐 놓았다. 임금이 명하여 부르면 수레에 멍에를 걸기 기다리지 않고 갔다.

임금을 성심으로 모시는 태도를 보여줍니다. 몸이 아파도 임금이 문병을 오면 관복을 입지는 못해도 덮기라도 했고, 쉬는 날이라도 임금이 부르면 마차가 준비되는 것을 기다리지 않고 즉시 달려갔다고 합니다.

14. 팔일 편 15와 중복됨

15. 벗이 죽어서 돌아갈 곳이 없으면 자기 집에 빈소를 차리라고 했다. 벗이 주는 물건은 비록 수레나 말이라 하더라도 제사 지낸 고기가 아니면 절하지 않았다.

16. 잠잘 때는 죽은 듯이 하지 않고 거처할 때는 얼굴을 꾸미지 않았다. 상복 입은 자를 보면 비록 친한 사이라도 반드시 낯빛을 바꾸고 의관을 갖춘 자와 장님을 보면 비록 사석이라도 반드시 예의를 갖추었다. 상복 입은 자에게 경의를 표했으며 지도나 호적을 짊어진 자에게도 경의를 표했다. 성찬을 받으면 반드시 얼굴빛을 바꾸고 일어났다. 천둥 치거나 폭풍이 불면 반드시 얼굴빛을 바꾸었다.

17. 수레에 탈 때는 반드시 똑바로 서서 줄을 잡았고, 수레 안에서는 안을 둘러보지 않았고, 말을 빨리 하지 않으며 직접 손가락질하지 않았다.

18. 새들이 사람의 얼굴빛을 보고 날아가서 한바퀴 돈 뒤에 모여 앉았다. 공자께서 말씀하셨다. “산 아래 다리에 까투리가 제철을 만났구나, 제철을 만났어!” 자로가 잡아서 바치니 세 번 냄새 맡고 일어나셨다.

우직한 자로가 선생님 말씀을 너무 앞서 실천하다 사고를

친 장면입니다. 까투리는 암퀑입니다. 암퀑이 활기차게 날고 노는 것을 보고 공자가 보기 좋아서 "제철이구나." 한 것을 자로는 그만 "제철 꿩고기가 먹고 싶구나."로 오해하고 즉시 잡아다 바친 것입니다. 보기 좋아서 즐거워했던 꿩이 고기가 되어 올라왔으니 공자가 얼마나 놀랐을까요? 그래도 딴에는 위해서 한 일이니 야단 치지는 못하고, 그냥 냄새만 맡고 일어서는 것으로 불편한 마음을 표현할 수 밖에.

제11편 선진

1. 공자께서 말씀하셨다. "선진 때는 예악을 행함에 야인 같고 후진 때는 예악을 행함에 군자 같다. 내가 만약 예악을 쓴다면 선진을 따르겠다."

여기서 선진은 앞서간다는 뜻이 아니라 주나라를 두 시기로 나누어 더 옛날을 말합니다. 후진은 더 나중을 말하겠죠. 여기서 야인과 군자는 오랑캐와 문명인이라는 뜻이 아니라 벼슬하지 않은 사람과 지위에 있는 사람이라는 뜻으로 썼습니다. 즉 옛날에는 예악이 소박했는데 지금은 꽤나 화려하구나 이런 의미입니다.

2. 공자께서 말씀하셨다. "진나라와 채나라에서 나를 따르던 자들이 모두 문하에 오지 못하였구나. 덕행엔 안연, 민자건, 염백우, 중궁이요, 언어엔 재아, 자공이요, 정사엔 염유, 계로요, 문학엔 자유, 자하다."

이 대목이 후세 사람들이 공자의 수제자 열명을 일컫는 공문십철의 기원입니다. 이 열명의 제자들은 모두 나름의 주특기가 명확했습니다. 하지만 이 중 덕행으로 꼽힌 네 명이 공자가 말하는 군자에 가깝습니다. 덕행이라는 것이 그저 착하다는 뜻만은 아니니까요. 오히려 덕행에 뛰어나다는 것은 모든 분야 지식과 기능을 잘 익힌 뒤 그것을 상황에 따라 인하게 쓸 수 있는 수준을 말합니다. 하지만 이 중 안연과 염백우는 그만 병으로 공자보다 먼저 죽고 말았습니다. 덕행 다음은 언어인데 이는 말재주만을 말하는 것이 아니라 다른 사람을 설득하는 변론술까지 포함하는 것입니다. 난세임을 감안하면 이것이야 말로 정치와 외교에서 가장 핵심이 되는 능력입니다. 그래서 재아와 자공은 모두 당시 세력가들이 선호하는 인재였습니다. 정사는 행정만을 말하는 것이 아니라 군사를 포함하여 나라를 잘 다스리는 능력입니다. 즉 총리, 재상, 장군의 역량이죠. 염유(염구)와 자로는 이 분야에서 가장 뛰어나 늘 제후들이 탐내는 인재였습니다. 참고로 염백우, 중궁, 염유는 형제입니다. 10명의 수제자에 3형제가 다 들어가 있으니 대단한 유전자입니다. 마지막으로 문학은 글짓기를 잘한다는 뜻이 아니라 학문과 이론에 밝다는 뜻을 포함합니다. 군자, 외교관, 정치가, 학사 이렇게 네 파트에서 가장 뛰어난 제자들을 꼽은 것입니다.

3. 공자께서 말씀하셨다. "회는 나를 도와주는 자가 아니다. 내 말에 기뻐하지 않는 바가 없구나."

비난하는 것이 아니라 간접적으로 극찬하는 말입니다. 선생이 가르쳤을 때 학생이 좀 이해도 못하고 그래야 선생이 스스로 돌아보고 발전하는데 가르쳐주는 족족 쏙쏙 다 자기 것으로 만드니 선생이 반성할 기회도 주지 않는다는 뜻입니다.

4. 공자께서 말씀하셨다. "효성스럽도다. 민자건이여! 사람들이 그 부모 형제의 말에 흠잡지 못하는구나."

5. 남용이 날마다 세 번 백규장을 외우니 공자가 형님의 딸로 댁 삼아 주었다.

6. 계강자가 물었다. "제자 중에 누가 학문을 좋아합니까?" 공자께서 말씀하셨다. "안회라는 자가 있어 학문을 좋아했는데 불행히 명이 짧아 죽었습니다. 지금은 없습니다."

7. 안연이 죽자 안로(안연의 아버지)가 공자의 수레를 팔아 덧 관을 만들 것을 청하니 공자께서 말씀하셨다. "재주가 있건 없건 모두 자기 아들을 위해 말할 것이다. 이(공자의 아들)가 죽었을 때 관은 있었으나 곽이 없었으니, 곽을 만들어 주지 못한 것은 내가 대부의 말석을 차지하고 있었기 때문에 도보로 걸어 다닐 수 없었기 때문이었다."

8. 안연이 죽자 공자께서 말씀하셨다. "아 하늘이 나를 버렸다. 하늘이 나를 버렸다."

9. 안연이 죽자 공자께서 곡하심이 너무 애통했다. 종자(곁에서 모시는 사람)가 "선생님 너무 애통해 하십니다." 라고하자 공자께서 말씀하셨다. "지나치게 애통했느냐? 이 사람을 위해 애통해 하지 않고 누구를 위해 애통해 하겠느냐?"

10. 안연이 죽어 문인들이 성대히 장사 지내고자 하니 공자께서 옳지 않다 하셨다. 문인들이 성대히 장사 지내자 공자께서 말씀하셨다. "회는 나를 아버지 같이 여겼는데 나는 그를 자식처럼 하지 못했다. 나 때문이 아니라 너희들 때문이다."

공자가 가장 사랑했던 제자 안연의 죽음과 관련된 내용들입니다. 평소에 감정에 치우쳐 예를 잃어버리지 않는 모습으로 때로는 냉정해 보이기까지 하던 공자가 거의 멘탈이 무너진 모습을 적나라하게 드러낼 정도로 제자에 대한 사랑이 깊었던 모양입니다. 그럼에도 불구하고 그 장례를 성대하게 치르는 것은 한사코 반대하고 있습니다. 돈을 아껴서가 아닙니다. 고인이 평소 중요하게 생각하던 바 대로 검소하고 정중하게 대접해 주는 것이 예이기 때문입니다.

11. 계로가 귀신 섬기는 것에 대해 묻자 공자께서 말씀하셨다. "사람을 섬기지 못하면 어찌 귀신을 섬길 수 있겠느냐?" "감히 죽음에 대해 묻겠습니다." 하자 "삶을 알지 못하면서 어찌 죽음을 알겠느냐?" 라고 하셨다.

12. 민자건은 옆에서 모실 때 온화하고 자로는 씩씩하고, 염유, 자공은 강직하니 공자께서 기뻐하셨다. 그러나 "유는 온당한 죽음을 맞지 못할 듯하다."고 하셨다.

안회가 세상을 떠난 이후에도 공자에게는 훌륭한 제자들이 있었고, 이들은 저마다의 개성과 장점이 분명하여 공자를 즐겁게 했습니다. 다만 자로는 정의감이 너무 강하고 두려움이 없는 영웅 스타일이라 저러다 전쟁이나 내란에 희생될 것 같다며 늘 걱정했습니다. 그리고 결국 그렇게 되고 말았습니다.

13. 노나라 사람이 장부라는 창고를 짓자 민자건

이 말했다. "옛 것을 그대로 사용하는 것이 어떻겠습니까? 꼭 새로 지어야 하겠습니까?" 공자께서 말씀하셨다. "저 사람이 말을 잘 하지 않을지언정 일단 말을 하면 반드시 이치에 맞다."

14. 공자께서 말씀하셨다. "유가 어째서 내 문하에서 비파를 연주하는가?" 문인들이 자로를 공경하지 않자 공자께서 "유는 당에는 올랐으나 방에는 들어오지 못했다."라고 말씀하셨다.

자로는 소박, 강직, 용감한 사람이지만 문화적으로 세련된 인물은 아닙니다. 비파라는 악기를 연주하는데 솜씨가 서툴렀던 모양입니다. 그래서 공자가 이를 지적했습니다. 하지만 다른 제자들이 이를 빌미로 자로를 무시하자 공자가 "그래도 너희 보다는 낫다."라고 한 마디 보태 준 것입니다.

15. 자공이 사(자장)와 상(자하)중 누가 낫냐고 물으니 공자께서 "사는 지나치고 상은 못 미친다."고 말씀하셨다. "그러면 상이 낫습니까?"라고 하니 "지나침은 못 미침과 같다."라고 하셨다.

16. 계씨가 임금보다 더 부유한데도 염구는 그를 위해 재물을 긁어 모아 주었다. 공자께서 말씀하셨다. "우리 무리가 아니니 제자들아, 북을 울려 성토하는 것이 옳다."

염구는 공자 제자들 중 정치 실무에 가장 능했던 인물입니다. 문제는 자기 주군이 시키는 일이라면 옳고 그름을 따지지 않고 자기 능력을 발휘했다는 것입니다. 공자는 재주가 뛰어난데 덕이 거기 못 미치는 염구에게 많이 실망했습니다.

17. 시(자고)는 어리석고 삼(증자)은 둔하고 사(자장)는 편벽되고 유(자로)는 거칠다.

18. 공자께서 말씀하셨다. "회는 도에 가까웠으나 자주 굶었다. 사는 천명을 받아들이지 않고 재화를 늘렸으나 예측하면 자주 맞았다."

제자들의 단점을 지적한 문장들입니다. 자고와 증삼은 학업 능력이 떨어졌고, 자장은 매우 공부를 잘하는 학생이지만 독선적이고, 자로는 세련미가 부족하고, 안연은 가장 사랑한 제자였으나 경제에 너무 무관심했고, 자공은 반대로 너무 돈 버는 일을 좋아했고 등등입니다.

19. 자장이 선한 사람의 도에 대해 묻자 공자께서 말씀하셨다. "성인의 자취를 밟지 않아도 악에 빠지지는 않겠으나 그 경지에 들어가지는 못한다."

20. 공자께서 말씀하셨다. "사람을 말과 논변이 독실하다고 하여 받아들인다면, 그 사람이 군자다운 사람이라는 것인가 그 모습이 그럴듯한 사람이라는 것인가?"

21. 자로가 "들으면 곧 행해야 합니까?" 라고 물으니 공자께서 "부형이 계시는데 어찌 들으면 곧 행할 수 있겠느냐?" 하시고 염유가 "들으면 곧 행해야 합니까?" 라고 물으니 공자께서 "들으면 곧 행해야 한다."라고 말씀하셨다. 공서화가 말했다. "유가 '들으면 곧 행해야 하느냐?' 물었을 때는 선생님께서 부형이 계신다고 하시고 구가 '들으면 행해야 하느냐?' 했을 때는 선생님께서 들으

면 곧 행해야 한다고 하시니 저는 의심이 나서 감히 여쭈어 봅니다." 공자께서 말씀하셨다. "구는 뒤쳐지므로 나아가게 한 것이고 유는 남보다 앞서므로 물러나게 한 것이다."

공자의 맞춤형 교육 모습을 보여줍니다. 성격이 급한 학생에게는 행동을 늦추라고 충고하고, 실천력이 약한 제자에게는 빠른 행동을 유도합니다.

22. 공자께서 광 땅에서 두려운 일을 당했을 적에 안연이 뒤늦게 갔다. 공자께서 "나는 네가 죽은 줄 알았다."고 말씀하시자 안연이 말했다. "선생님께서 계신데 제가 어찌 감히 죽겠습니까?

23. 계자연(계씨의 자제)이 물었다. "중유와 염구는 대신이라고 이를만합니까?" 공자께서 말씀하셨다. "나는 그대가 색다른 것을 물으리라 생각했는데 겨우 유와 구에 대해 묻는군요. 이른바 대신이란 도로써 임금을 섬기다 안 되면 그만두는 것입니다. 지금 유와 구는 자리만 채우는 신하라고 할 수 있습니다." "그렇다면 따르기만 하는 자들입니까?" 공자께서 말씀하셨다. "아버지와 임금을 시해하는 일은 따르지 않을 것입니다."

공자는 계자연이 아버지와 임금을 허수아비로 만들고 권력을 차지할 궁리를 하고 있음을 알았습니다. 그런데 계자연은 자로와 염구를 이들을 등용하려 했고, 공자는 이들이 반역에 동참하지는 않을 것이라고 날카롭게 못 박았습니다.

24. 자로가 자고를 비 땅의 읍재로 삼자 공자께서 말씀하셨다. "남의 자식을 해치는구나." 자로가 말했다. "백

성이 있고 사직이 있으니 하필 글을 읽은 뒤에야 학문을 하는 것이겠습니까?" 공자께서 말씀하셨다. "이 때문에 말재주 있는 자를 미워한다."

25. 자로, 증석(증자의 아버지), 염유, 공서화가 공자를 모시고 앉았는데 공자께서 말씀하셨다. "내가 너희들보다 나이가 조금 많다고 하여 어렵게 여기지 말라. 너희들은 평소에 자기를 알아주지 않는다고 하는데 만일 혹시라도 너희들을 알아준다면 어찌 하겠느냐?" 자로가 경솔히 대답했다. "천승의 나라가 대국 사이에 끼어서 전쟁이 일어나고 잇달아 기근이 들어도 제가 다스리면 삼년에 이르러 백성들을 용기가 있게 하고 또한 의로운 길로 나가게 하겠습니다." 공자께서 빙그레 웃으셨다. 구야 너는 어떠하냐 염구가 말했다. "사방 육칠 십리 혹은 오륙 십리쯤되는 나라를 제가 다스리면 삼 년에 이르러 백성들을 풍족하게 할 수 있지만 예악은 군자를 기다리겠습니다." "적아 너는 어떠하냐?" 공서화가 대답했다. "능하다는 말이 아니라 배우기를 원합니다. 종묘에서나 제후들이 회동할 때 현단복을 입고 장보관을 쓰고 작은 도움을 주는 사람이 되고자 합니다." "점아 너는 어떠하냐?" 비파 타기를 쉬더니 쨍그렁 하고 비파를 놓으며 증석이 대답했다. "세 사람이 말한 것과 다릅니다." 공자께서 말씀하셨다. "무엇이 해롭겠느냐? 각자 자기 뜻을 말한 것이다." 증석이 말했다. "늦은 봄 봄 옷이 다 되면 어른 오륙 인과 동자 육칠 인과 함께 기수에서 목욕하고 무우에서 바람 쐬고 시를 읊으며 돌아오겠습니다." 공자께서 "아" 하고 감탄하시며 말씀하셨다. "나는 점과 같이 하련다." 세 사람이 나가자 증석이 뒤에 남아 있다가 저 세 사람의 말이 어떠냐고 물으니 공자께서 말씀하셨다. "또한 각자 자기 뜻을 말했을 뿐이다." "어째서 유가 한 말에 대해서 선생님이 웃으셨습니까?" "나라를 다스리는 일은 예로써 해야 하는데 그의 말이 겸손하지 않아서 웃었다." "구가 말한 것은 나라를 다스리는 일이 아니겠죠?" "사방 육칠 십리 또는 오

륙 십리가 되고서 나라 아닌 것을 어디서 보았느냐?" "적이 말한 것은 나라 다스리는 일이 아닙니까?" "종묘의 일과 회동하는 일이 제후의 일이 아니고 무엇이냐 적의 일이 작은 것이면 큰 것은 대체 어느 것이겠느냐?"

제12편 안연

1. 안연이 인에 대해 묻자 공자께서 말씀하셨다. "사사로운 욕구를 이겨내고 예를 회복하는 것(극기복례)이 인을 행하는 것이다. 하루라도 극기복례를 하면 천하가 인을 받아들일 것이다. 인을 행함은 나로부터 하는 것이지 다른 사람으로부터 하는 것이겠느냐?" 안연이 그 조목에 대해 묻자 공자께서 말씀하셨다. "예가 아니면 보지 말고 듣지 말고 말하지 말고 행동하지 말아야 한다." 안연이 말했다. "제 비록 불민하지만 이 말씀대로 행하겠습니다."

유명한 극기복례(克己復禮)가 나오는 대목입니다. 그런데 사사로운 욕구를 억제하고 예를 회복하는 것이 곧 인이라는 뜻은 아닙니다. 인은 극기복례를 통해 구현되는 것이고, 극기복례를 하려는 그 마음가짐입니다.

2. 중궁이 인에 대해 묻자 공자께서 말씀하셨다. "문을 나서면 귀한 손님을 보듯 하고, 백성을 부릴 때는 큰 제사를 받들듯 하고, 내가 원치 않는 것을 남에게 베풀지 않으면 나라에서도 원망하는 사람이 없고 집안에서도 원망하는 사람이 없을 것이다. " 중궁이 말했다. "제 비록 불민하나 이 말씀대로 행하겠습니다."

여기서는 인에 대해 또 다른 말을 하고 있습니다. 내가 원하지 않는 것을 남에게 베풀지 않는다는 공감, 배려의 마음이 곧 인이라는 것이죠. 이건 동서고금을 막론한 도덕의 황금률이기도 합니다. 그런데 이 마음이 극기복례와 다르지 않습니다. 예라는 것은 결국 다른 사람을 존중하고 배려하는 마음을 구체적인 행동 규범으로 정한 것이니까요.

3.　　사마우가 인에 대해 묻자 공자께서 말씀하셨다. "인자는 말하는 것을 어려워한다." "말하는 것을 어려워하면 인이라고 이를 수 있습니까?" 라고 하자 공자께서 말씀하셨다. "행하기가 어려우니 말하는 것을 어려워하지 않을 수 있겠는가?"

4.　　사마우가 군자에 대해 묻자 공자께서 말씀하셨다. "군자는 근심하지 않고 두려워하지 않는다. "근심하지 않고 두려워하지 않으면 군자라고 할 수 있습니까?" 라고 하자 공자께서 말씀하셨다. "마음 속에 부끄러움이 없으니 무엇을 근심하고 무엇을 두려워하겠느냐?"

5.　　사마우가 걱정스러워 하며 말했다. "사람들은 모두 형제가 있는데 나만 없구나." 자하가 말했다. "죽고 사는 것은 명에 달려 있고 부귀는 하늘에 달려있다고 들었다. 군자가 항상 경을 잃어버리지 않아 다른 사람에게 공손하고 예를 지키면 온 세상 사람들이 모두 형제가 될 것이니 어찌 형제 없음을 걱정하는가?"

6.　　자장이 현명함에 대해 묻자 공자께서 말씀하셨다. "조금씩 젖어드는 헐뜯는 말과 피부에 와 닿는 하소연이 통하지 않으면 현명하다고 이를만하다."

7.　　자공이 정치에 대해 묻자 공자께서 말씀하셨다. "식량과 병력이 충분하게 하고 백성이 믿게 하는 것이다." 자공이 말했다. "부득이 하여 버려야 한다면 이 셋 중 어느 것을 먼저 버려야 합니까?" 공자께서 말씀하셨다. "병력을 버려야 한다." 자공이 또 물었다. "부득이해서 또

버린다면 나머지 둘 중 어느 것을 먼저 버려야 합니까?" 공자께서 말씀하셨다. "식량을 버려야 한다. 예로부터 누구나 죽지만 백성들이 믿어주지 않으면 나라가 서지 못한다."

8. 극자성이 말했다. "군자는 바탕일 뿐이니 꾸밈을 어디에 쓰겠는가?" 자공이 말했다. "애석하다. 그대가 군자에 대해 한 말이. 네 마리 말이 끄는 수레로도 혓바닥을 따라잡지 못하는 법이다. 꾸밈이 바탕과 같고 바탕이 꾸밈과 같은 법이니 호랑이나 표범의 털 없는 가죽은 개나 양의 털 없는 가죽과 마찬가지다."

도가나 묵가는 공자 학파가 겉으로 드러나는 예와 악에 너무 치중한다고 비판했습니다. 예라는 것은 형식인데, 중요한 것은 마음이 아니냐는 것이죠. 여기에 대해 자공은 속마음이 아무리 훌륭해도 올바른 형식으로 드러내지 않으면 소용이 없다며, 이를 무늬가 없는 가죽은 호랑이 가죽이나 개 가죽이나 마찬가지라고 절묘하게 비유했습니다.

9. 애공이 유약에게 물었다. "흉년이 들어 재정이 부족하니 어떻게 해야 하겠소?" 유약이 대답했다. "왜 철법(세금을 1/10로 줄이는 법)을 쓰지 않습니까?" "십분의 이를 받아도 부족한데 어떻게 철법을 쓰겠소??" 라 하자 "백성들이 풍족하면 임금께서는 누구와 더불어 부족할 것이며 백성들이 부족하면 임금께서는 누구와 더불어 풍족하시겠습니까?" 라 대답했다.

10. 자장이 덕을 높이는 것과 미혹함을 구별하는 것에 대해 묻자 공자께서 말씀하셨다. "충과 신을 주로하고 의로워지는 것이 덕을 높이는 것이다. 사랑하면 살기

바라고 미워하면 죽기 바라는데 이미 살기를 원했다가 또 죽기를 바란다면 미혹된 것이다. 진실로 부를 이루지도 못하고 이상하게만 될 뿐이다."

11. 제경공이 정치에 관해 공자께 묻자 공자께서 말씀하셨다. "임금은 임금 답고 신하는 신하 답고 아버지는 아버지 답고 자식은 자식다운 것입니다." 경공이 말했다. "옳은 말입니다. 진실로 임금이 임금답지 못하고 신하가 신하답지 못하고 아버지가 아버지답지 못하고 자식이 자식답지 못하다면 비록 곡식이 있어도 내가 먹을 수 있겠습니까?"

12. 공자께서 말씀하셨다. "한마디 말로 옥사를 판단할 수 있는 사람은 아마 유일 것이다. 자로는 승낙한 일을 묵혀 두는 법이 없다."

13. 공자께서 말씀하셨다. "송사를 처리하는 것은 나도 남과 같이 할 수 있다. 그러나 반드시 백성들로 하여금 송사가 없게 하겠다."

14. 자장이 정치에 대해 묻자 공자께서 말씀하셨다. "마음에는 게으름이 없고 실행할 때는 신실해야 한다."

15. 옹야 25 중복

16. 공자께서 말씀하셨다. "군자는 남의 좋은 점은 이루어주고 나쁜 점은 이루어 주지 않는데 소인은 이와 반대다."

17. 계강자가 공자께 정치에 대해 묻자 공자께서 말씀하셨다. "다스린다는 것은 바로잡는다는 것이다. 그대가 바른 도리로써 이끌어가면 누가 감히 바르지 않겠는

가?"

18.   계강자가 도둑을 걱정하여 공자께 대책을 물으니 공자께서 대답했다. "진실로 그대가 탐욕을 부리지 않는다면 비록 상을 준다 해도 도둑질하지 않을 것입니다."

19.   계강자가 정치에 대해 묻기를 "만약 무도한 자를 죽여서 도 있는 데로 나가게 하면 어떻습니까?" 라고하자 공자께서 대답했다. "그대는 정치를 함에 어찌 죽이는 방법을 쓰려고 하십니까? 그대가 착하게 되고자 하면 백성들도 착해집니다. 군자의 덕은 바람이요 소인의 덕은 풀입니다. 풀 위에 바람이 불면 풀은 반드시 쓰러집니다."

계강자는 당시 노나라의 실권자입니다. 임금은 구색만 갖추었을 뿐 실제로 계강자가 통치자였습니다. 그래서 공자에게 나라 다스리는 방법을 자꾸 물어본 모양입니다. 하지만 공자는 통치자가 스스로 덕을 실천하며 산다면 신하와 백성이 저절로 따를 것이라 대답합니다. 이것이 바로 유교의 통치이념인 왕도 정치입니다.

20.   자장이 물었다. "선비는 어떠해야 통달한 사람이라고 이를만합니까?" 공자께서 말씀하셨다. "네가 말한 통달한 사람이란 어떤 것을 말하느냐?" 자장이 말했다. "나라에서도 반드시 소문이 나고, 집안에서도 반드시 소문이 나는 것입니다. 공자께서 말씀하셨다. 그것은 명성이지 통달이 아니다. 통달한 사람이란 질박하고 정직하며 의를 좋아하고 남의 말을 살피고 얼굴빛을 보아 사려 깊게 생각해서 남에게 자신을 낮추는 것이니, 나라에서도 반드시 통달한 사람이라 하고 집안에서도 반드시 통달한 사람이

라고 한다. 명성만 있는 사람은 얼굴빛은 인을 취하나 행실은 그렇지 아니하며, 인을 자처하여 의심하지 않으니 나라에서도 반드시 소문나며 집안에서도 반드시 소문난다."

자장은 공자 제자들 중 학문에 특히 뛰어나고 외모도 훌륭해서 당시 인기가 높은 인물이었다고 합니다. 그런 만큼 공명심도 높아서 출세에 관심이 많았습니다. 그래서 공자는 그런 자장을 가라앉히기 위해 겸손의 미덕을 계속 강조했습니다.

21. 번지가 공자를 따라 무우 아래서 놀다가 말했다. "감히 덕을 높이고 사특한 마음을 닦아 없애며 미혹을 분별하는 것을 묻습니다." 공자께서 말씀하셨다. "좋은 질문이다. 일을 먼저 하고 소득을 뒤로 함이 덕을 높이는 것이 아니겠느냐? 자기의 악한 마음을 다스리고 남의 악함을 다스리지 않는 것이 사특한 마음을 닦아 없애는 것이 아니겠느냐? 하루아침의 분노로 자신을 잊어버려 그 화가 부모에게 미치게 하는 것이 미혹이 아니겠느냐?"

22. 번지가 인에 대해 물으니 공자께서 "사람을 사랑하는 것이다."라고 하시고 지에 대해 물으니 "사람을 아는 것이다."라고 하셨다. 번지가 알아듣지 못하자 공자께서 말씀하셨다. "곧은 사람을 들어 쓰고 모든 굽은 사람을 버리면 굽은 사람으로 하여금 곧게 할 수 있는 것이다." 번지가 물러나서 자하를 보고 말했다. "그저께 내가 선생님께 지에 대해 물으니 곧은 사람을 들어 쓰고 모든 굽은 사람을 버리면 굽은 사람으로 하여금 곧게 할 수 있다고 하셨는데 무슨 뜻이냐?" 자하가 말했다. "말뜻이 참 깊구나. 순이 천하를 다스릴 때 여러 사람 중에서 고요를 들어 쓰니 불인한 사람들이 멀리 사라졌고, 탕이 천하를 다스릴 때 여러 사람 중에서 이윤을 들어 쓰니 불인한 사람들이

멀리 사라졌다."

인이라는 것은 일반인의 덕목이 아닙니다. 백성을 다스리는 지위에 있을 군자의 덕목이죠. 하지만 군자가 인을 완벽하게 실천할 필요는 없습니다. 그러기도 어렵고요. 대신 인한 사람들을 골라 등용하고, 인하지 못한 사람을 물러나게 한다면 그것이 곧 인을 실천하는 것입니다. 그럼 백성들이 그 시범을 보고 인에 따를 것이기 때문입니다.

23. 자공이 벗에 대해 묻자 공자께서 말씀하셨다. "진심으로 말해주고 잘 인도하다 안되면 그만 두어서 스스로를 욕되게 하지 말아야 한다."

24. 증자가 말했다. "군자는 글로써 벗을 모으고 벗으로써 인을 돕는다."

인은 혼자 실천할 수 없습니다. 올바른 정치를 통해 완성되니까요. 따라서 인한 벗들을 모으는 것, 그것이 대단히 중요한 인의 실천인 것입니다. 학문을 통해 벗이 모이고, 그렇게 모인 벗이 인을 실천하는 것입니다.

제13편 자로

1. 자로가 정치에 대해 묻자 공자께서 말씀하셨다. "솔선해야 하고 몸소 수고해야 한다." 더 말해주기를 청하자 "게으르지 말아야한다."라고 하셨다.

2. 중궁이 계씨의 가신이 되어 정치에 대해 묻자 공자께서 말씀하셨다. "유사(실무 담당자)에게 먼저 처리하게 하면서 작은 허물은 용서해 주며, 어진 사람과 유능한 사람을 등용해야 한다." "어진 사람과 유능한 사람을 어떻게 알아서 등용합니까?" 라고 하니 공자께서 말씀하셨다. "어진 사람 중 네가 아는 사람을 등용한다면 네가 모르는 사람을 다른 사람이 내버려 두겠느냐."

3. 위군이 "선생님을 모시고 정치를 한다면 무엇을 먼저 하시겠습니까?" 하니 공자께서 말씀하셨다. "반드시 명분을 바로잡겠다." "이렇게 선생님은 세상 물정에 어둡습니다. 어떻게 바로잡으시겠습니까?" 하니 공자가 말씀하셨다. "무지하구나 유여! 군자는 모르는 것에 대해서는 아무 말도 하지 않는 법이다. 명분이 바르지 않으면 말이 순리에 맞지 않고, 말이 순리에 맞지 않으면 일이 이루어지지 않고, 일이 이루어지지 않으면 예악이 일어나지 않고, 예악이 일어나지 않으면 형벌이 알맞지 않고, 형벌이 알맞지 않으면 백성들은 손발을 둘 곳이 없다. 그러므로 군자는 명분이 있으면 반드시 말해야 하고 말했으면 반드시 행해야 한다. 군자는 그가 한 말에 구차한 바가 없을 뿐이다."

4. 번지가 농사짓는 법을 배우려하자 공자께서 "나는 농사 전문가만 못하다." 하셨고 채소 기르는 법을

배우려하자 "나는 채소 전문가만 못하다."라 하셨다 번지가 나가자 공자께서 말씀하셨다. "서민이구나 번수여! 위에서 예를 좋아하면 백성들은 공경하지 않을 수 없고 위에서 의를 좋아하면 백성들은 복종하지 않을 수 없고 위에서 신의를 좋아하면 백성들은 진실하지 않을 수 없다. 이렇게 되면 모든 백성들이 그 자식들을 포대기에 싸서 업고 올 것이니 농사짓는 법을 배워 어디에 쓰겠는가?"

공자의 가르침은 모든 사람을 대상으로 하는 것이 아닙니다. 어디까지나 나라를 다스리거나 그것을 돕는 사람들, 즉 군주와 신하(대부)를 위한 것입니다. 공자는 실용적인 기술을 무시하지는 않았습니다. 다만 그 분야 전문가가 따로 있으니, 그건 그 전문가에게 맡기고, 통치자는 오직 인과 예에 집중해야 한다는 것입니다.

5. 공자께서 말씀하셨다. "시 삼백 편을 외운다 해도 정사를 맡겨서 제대로 못하고 다른 나라에 사신으로 가서 혼자 대처하지 못하면 비록 많이 외운들 또한 무엇하겠는가?"

오늘날 우리 교육 현실, 학교 현실이 아니라 일반적으로 국민들이 생각하는 교육 현실과 비교하면 생각할 부분이 많은 문장입니다. 시 삼백편을 달달 외워도 막상 이를 통해 얻은 덕을 실무에서 발휘하지 못한다면 무슨 소용이 있겠습니까? 주입식 교육은 공자 역시 바람직하게 보지 않았습니다.

6. 공자께서 말씀하셨다. "그 자신이 바르면 명령하지 않아도 시행되고 올바르지 않으면 비록 명령한다 해

도 따르지 않는다."

7. 공자께서 말씀하셨다. "노나라와 위나라의 정치가 비슷하다."

공자는 노나라 사람으로 자기 나라에 대한 자부심이 상당히 높았습니다. 그러니 이 말은 위나라 정치에 대한 대단한 칭찬입니다.

8. 공자께서 위 공자 형에 대해 말씀하셨다. "집안일을 잘 처리하는구나. 처음 시작했을 때는 '그런대로 모았다' 하고 조금 가졌을 때는 '그런대로 갖추었다' 하고 많이 가졌을 때는 '그런대로 볼만하다'고 하였다."

9. 공자께서 위나라에 가실 때 염유가 말을 몰았다. 공자께서 "백성들이 많구나." 하셨다. 염유가 물었다. "백성들이 많으면 그 다음엔 무엇을 해야 합니까?" 공자께서 말씀하셨다. "부유하게 해야 한다." "부유하게 되면 그 다음엔 무엇을 해야 합니까?"라 물으니 "가르쳐야 한다." 라고 하셨다

10. 공자께서 말씀하셨다. "진실로 나를 쓰는 자가 있다면 일년만이라도 좋고 삼 년이면 훌륭한 일을 이룰 수 있다."

11. 공자께서 말씀하셨다. "'선인이 백 년 동안 나라를 다스리면 잔인한 자를 교화하여 죽이는 형벌을 없앨 수 있을 것이다' 하였으니 이 말이 참으로 옳다."

공자가 꿈꾸는 세상은 형벌로 다스리지 않는 세상입니다.

형벌로 다스리면 백성이 형벌을 피하려 할 분, 옳고 그름을 가리지 못하고, 그릇된 행동을 부끄러워하지 않습니다. 인과 예로 다스리면 백성들이 이를 몸과 마음에 새겨, 형벌이 필요 없는 그런 세상이 될 것이며, 그것이 공자의 이상 정치이며 이를 왕도라 불렀습니다.

12. 공자께서 말씀하셨다. “왕도를 행하는 자가 있다 하더라도 반드시 한세대가 지나가야 인정이 행해질 것이다.”

13. 공자께서 말씀하셨다. “진실로 자신을 바르게 하면 정치를 함에 무슨 어려움이 있겠으며 자신을 바르게 할 수 없다면 어떻게 남을 바르게 할 수 있겠는가?”

14. 염자가 조정에서 물러 나오자 공자께서 말씀하셨다. “왜 늦었느냐?” 정사가 있었다고 대답하자 공자께서 말씀하셨다. “아마 사사로운 일이겠지. 만약 정사가 있었다면 비록 내가 등용되지 못했지만 참여해서 들었을 것이다.”

15. 정공이 물었다. “한마디 말로 나라를 일으킬 수 있다 하니 그런 말이 있습니까?” 공자께서 대답했다. “말이 꼭 이와 같이 기약할 수는 없지만 사람들 말에 임금 노릇 하기 어려우며 신하 노릇 하기 쉽지 않다 하였으니 만일 임금 노릇 하기 어려운 것을 안다면 이 한마디 말로 나라를 일으키는 것을 기약할 수 있지 않겠습니까?” 또 물었다. “한마디 말로 나라를 잃는다 하는 그런 말이 있습니까?” 공자께서 대답하셨다. “말이 꼭 이와 같이 기약할 수는 없지만 사람들 말에 나는 임금 노릇 하는 데는 즐거움이 없고, 오직 말하면 어기지 않는 것이 즐겁다 하

였으니, 만일 옳은 말이어서 어기지 않는다면 또한 좋지 않겠습니까? 만일 옳지 않은 말을 어기지 않는다면 이 한 마디 말로 나라를 잃는 것을 기약할 수 있지 않겠습니까?"

16. 섭공이 정치에 대해 물으니 공자께서 말씀하셨다. "가까이 있는 자들은 기뻐하고 멀리 있는 자들은 오는 것이다."

17. 자하가 거보 고을의 읍재가 되어 정치에 대해 물으니 공자께서 말씀하셨다. "빨리 하려 하지 말고 작은 이익을 보지 말라. 빨리 하려 하면 일이 제대로 되지 않고 작은 이익을 보면 큰 일이 이루어지지 않는다."

18. 섭공이 공자께 말했다. "우리 마을에 바르게 처신하는 자가 있으니 그 아버지가 양을 훔쳤는데 그 아들이 그것을 밝혀냈습니다." 공자께서 말씀하셨다. "우리 마을의 정직한 사람은 이와 다릅니다. 아버지는 자식을 위해 숨기고 자식은 아버지를 위해 숨기니 정직함은 그 가운데 있습니다."

매우 유명한 대목이며, 아직도 논쟁이 계속되는 대목입니다. 보통 이 대목을 법가와 유가의 입장 차이를 보여주는 사례로 인용하기도 합니다. 유교에 대해 비판적인 사람들은 유교가 가족윤리를 앞세워 사회정의를 문란하게 하는 가족이기주의의 원인이라는 근거로 이 대목을 활용합니다. 하지만 이게 겉으로 보이는 것처럼 그렇게 쉬운 내용은 아닙니다. 섭공이 자랑한 정직한 아들은 아버지가 양을 훔친 것을 '밝혀냈다'고 합니다. 즉 증거를 찾아 아버지가 범인이라는 것을 증명했다는 뜻입니다. 이건 매우 적극적인 행동입니다.

부모 자식 간에 법을 어긴 것을 숨기는 것이 잘하는 일은 아닙니다. 하지만 부모 자식 간에 서로의 허물을 굳이 일부러 증명까지 해가며 당국에 고발하는 것 역시 매우 어색합니다. 공자가 지적한 것은 바로 이런 부분입니다. 부모가 혹은 자식이 뭔가 법을 어겼을 때 이걸 감춰주려는 마음이 오히려 자연스러운 것이며, 정직함은 이 자연스러운 마음을 일단 인정한 다음에 시작되는 것입니다.

19. 번지가 인에 대해 묻자 공자께서 말씀하셨다. "거처할 적에는 공손하고, 일을 할 적에는 신중하며, 사람을 대할 적에는 성실해야 한다. 비록 오랑캐 나라에 가더라도 이것을 버려서는 안 된다."

20. 자공이 물었다. "어떠해야 선비라고 할 수 있습니까?" 공자께서 말씀하셨다. "자기 행동에 염치가 있으며 사방에 사신으로 가서 임금의 명을 욕되게 하지 않으면 선비라 이를 만다. "감히 그 다음을 묻겠습니다." 하자 말씀하셨다. "종족이 효성스럽다 칭찬하고 마을 사람들이 공손하다고 칭찬하는 자다." "감히 그 다음을 묻겠습니다." 하자 말씀하셨다. "말은 반드시 신실하게 하고 행동은 반드시 과단성 있게 하는 것이 좀 딱딱한 소인이지만 그래도 그 다음이 될 만하다." "지금 정치에 종사하는 자들은 어떻습니까?" 하자 공자께서 말씀하셨다. "아 그런 자질구레한 사람들을 어찌 헤아리겠느냐?"

안동, 영주 이런 지역에 가면 곳곳에 구호로 나부끼는 선비 정신, 선비 문화. 대체 이게 무엇을 말하는 것일까요? 공자의 제자들 중 가장 영특한 자공도 그게 궁금했나 봅니다. 그런데 공자의 대답은 너무 어렵습니다. 스스로 떳떳하고 또 자기가 섬기는 나라도 떳떳하게 만들다니, 듣기만 해도 고난도입니다. 그래서 자공이 더 낮은 기준을 물어 봅니다. 그러자 부모에게 효도하고 다른 사람에게는 예의 바른 것이라고 대답합니다. 그런데 자공은 그 보다도 더 낮은 기준을 묻습니다. 그러자 공자는 거짓을 말하지 않고 말한 것은 빨리 실천하는 것이라고 대답하면서 여기서부터는 소인이라고 선을 긋습니다.

21. 공자께서 말씀하셨다. "중도를 실천하는 자를 얻어서 함께 할 수 없다면 반드시 뜻이 높은 사람이나 뜻이 굳센 사람과 함께 할 것이다. 뜻이 높은 사람은 적극적으로 나아가고 뜻이 굳센 사람은 하지 않는 바가 있다."

동서고금을 막론하고 중용, 중도는 모든 도덕의 핵심입니다. 하지만 공자는 중도가 어렵다면 좀 더 적극적이고 굳센 쪽을 선택한다고 말합니다. 지나침과 모자람은 같다(과유불급過猶不及)고 말하긴 했지만, 함께 일을 도모할 동료로는 지나친 쪽을 선택한다네요. 사실 대부분 그렇지 않을까요?

22. 공자께서 말씀하셨다. "남인의 말에 사람이 일정한 마음이 없으면 무당이나 의원이 될 수 없다고 하였는데, 옳은 말이다. 그 덕을 항상 지니지 않으면 누군가에게 부끄러움을 당한다." 공자께서 말씀하셨다. "점을 칠 일이 아니다."

23. 공자께서 말씀하셨다. "군자는 화합하나 동화되지 않고 소인은 동화되지만 화합하지 않는다."

유명한 화이부동(和而不同) 동이불화(同異不和)라는 대목입니다. 군자는 함부로 다투지 않습니다. 하지만 그게 줏대 없이 다른 사람을 따르는 것은 아닙니다. 다만 화합을 위해 참고 넘어가는 것이죠. 하지만 소인은 줏대 없이 힘있는 사람이나 대세를 따릅니다. 하지만 그 사람들과 화합할 마음에서가 아니라 자기 이익을 챙기기 위해서 입니다.

24. 자공이 물었다. "고을 사람들이 모두 좋아한다면 어떻습니까?" 공자께서 말씀하셨다. "부족하다." "그러면 고을 사람들이 모두 미워하면 어떻습니까?" "그것도 부족하다. 고을 사람들 중 착한 자들이 좋아하고 착하지 않은 자들이 미워하는 것만 못하다."

25. 공자께서 말씀하셨다. "군자는 섬기기는 쉬워도 기쁘게 하기는 어려우니 올바른 방법으로 하지 않으면 기뻐하지 않으며 사람을 부릴 때는 그 사람 능력에 맞추어 부린다. 소인은 섬기기는 어렵지만 기쁘게 하기는 쉬우니 올바른 방법으로 하지 않아도 기뻐하며 사람을 부릴 때는 모든 것을 갖추기를 바란다."

26. 공자께서 말씀하셨다. "군자는 태연하지만 교만하지 않고 소인은 교만하면서 태연하지도 못하다."

27. 공자께서 말씀하셨다. "강하고 굳세며 질박하고 어눌함이 인에 가깝다."

28. 자로가 물었다. "어떻게 하면 선비라 이를 만합니까?" 공자께서 말씀하셨다. "간절하고 자세하고 온화하면 선비라 이를만 하다. 친구 간에는 간절하고 진심으로 노력하고 형제간에는 온화해야 한다.

계속 선비다운 사람에 대한 대화가 이어집니다. 자공에 이어 자로까지 가세하여 물어본 모양입니다. 공자의 대답이 명확하지는 않지만 일관된 흐름은 있습니다. 일단 번지르르하게 겉모습이나 말재주 부리는 것은 선비, 군자와 거리가 멉니다. 그리고 온화하고 공손하긴 하지만 아무한테나 그러지는 않습니다. 그래서 착하지 않은 사람에게는 오히려 미움을 받습니다.

29. 공자께서 말씀하셨다. "선인이 칠년 정도 백성들을 교화 시키면 또한 전쟁에 내보낼 수 있다."

30. 공자께서 말씀하셨다. "가르치지 않은 백성들로 하여금 전쟁을 하게 하는 것은 백성을 버리는 것이다."

제14편 헌문

1. 원헌이 부끄러움에 대해 물으니 공자께서 말씀하셨다. "나라에 도가 있을 때 녹봉만 받아먹고 나라에 도가 없을 때도 녹봉만 받아먹는 것이 부끄러운 것이다."

2. "이기려 하고 자랑하고 원망하고 탐욕을 부리는 일을 하지 않으면 인이라고 말할 수 있습니까?" 공자께서 말씀하셨다. "어렵다고는 말할 수 있으나 인인지는 모르겠다."

3. 공자께서 말씀하셨다. "선비로서 편안히 거처하기를 생각한다면 선비라 하기엔 부족하다."

4. 공자께서 말씀하셨다. "나라에 도가 있을 때는 말과 행동이 강직해야 하나 나라에 도가 없을 때는 행동은 강직하나 말은 공손해야 한다."

5. 공자께서 말씀하셨다. "덕이 있는 사람은 반드시 훌륭한 말을 하지만 훌륭한 말을 하는 사람이 반드시 덕이 있는 것은 아니다. 인자는 반드시 용기가 있지만 용기 있는 사람이 반드시 인자는 아니다."

앞의 내용들은 공자가 남긴 어록 중 보기 드문 '처세술'과 관련된 내용들입니다. 일단 자기 절제력을 강하게 요구하고 있음을 알 수 있습니다. 그리고 세상을 바로잡겠다며 무모하게 달려드는 것을 부정적으로 보고 있습니다. 될 것 같으면 적극적으로 나서고, 안되겠으면 물러나 자신의 안전을 보장받는 것 역시 선비의 중요한 태도입니다. 가령 강직한 내용을 부드러운 방식으로 말하는 것 처럼 말이죠.

6. 남궁괄이 공자께 물었다. "예는 활을 잘 쏘았고 오는 육지에서 배를 끌고 다녔지만 모두 온당한 죽음을 하지 못했고 우와 직은 몸소 농사를 지었으나 천하를 얻었지요." 공자께서 대답 않고 있다가 남궁괄이 나가자 말씀하셨다. "군자 답구나 이 사람이여! 덕을 숭상하는구나 이 사람이여!"

7. 공자께서 말씀하셨다. "군자로서 인하지 않은 사람은 있어도 소인으로서 인한 사람은 없다."

8. 공자께서 말씀하셨다. "사랑한다면 수고를 하지 않을 수 있겠는가? 충하다면 가르쳐 주지 않을 수 있겠는가?"

9. 공자께서 말씀하셨다. "외교문서를 만들 때 비심이 초고를 만들고, 세숙이 잘 따져보고, 행인 자우가 첨삭하고 동리의 자산이 문장을 다듬었다.

자산은 당시 명재상으로 이름 높은 인물입니다. 그런데 외교문서를 만들 때 자산이 모든 것을 다 하지 않고 마지막 감수와 수정만 했다는 것입니다. 즉, 군자의 지위에 있는 사람은 나랏일의 모든 것을 세세하게 간섭해서는 안됩니다. 각 분야의 전문가에게 맡겨두고, 군자는 그 전체적인 방향만 잡아 바른 길에서 벗어나지 않도록 해야 합니다. 디테일한 부분까지 이래라 저래라 지시하면서 정작 중대한 결정을 해야 할 때는 미적거린다면 훌륭한 지도자라 할 수 없습니다.

10. 어떤 사람이 자산에 대해 물으니 공자께서 "자혜로운 사람이다." 하셨고 자서에 대해 물으니 "그 사람! 그 사람!" 하셨다. 관중에 대해 물으니 "그 사람은 백씨로부터 병읍 삼백호를 빼앗았는데도 백씨는 거친 밥을 먹으면서도 죽을 때까지 원망하는 말이 없었고" 하셨다.

11. 공자께서 말씀하셨다. "가난하지만 원망함이 없기는 어렵고 부유하면서 교만함이 없기는 쉽다."

괭장히 울림이 큰 문장입니다. 부자가 너그럽고 겸손하기란 쉽지 않고 존경받을만한 태도입니다. 하지만 우리는 그런 인물을 종종 만나볼 수 있습니다. 하지만 가난하면서도 도덕과 예의를 가지기는 훨씬 더 어렵습니다. 그러니 나라를 다스리는 사람은 우선 가난부터 해결해야 하는 것입니다.

12. 공자께서 말씀하셨다. "맹공작이 조씨나 위씨의 가신이 되기에는 충분하지만 등나라와 설나라의 대부는 될 수 없다."

13. 자로가 완전한 사람에 대해 물으니 공자께서 말씀하셨다. "가령 장무중의 지혜와 공작의 불욕과 변장자의 용기와 염구의 재주를 예악으로 꾸미면 또한 완전한 사람이라고 할 수 있을 것이다." 또 말씀하셨다. "오늘날에야 완전한 사람이 어찌 반드시 그렇겠느냐? 이익을 보고 의를 생각하고 국가가 위급할 때 목숨을 바치며 오래된 약속에 평소의 말을 잊지 않는다면 또한 완전한 사람이라고 할 수 있을 것이다."

14. 공자께서 공명가에게 공숙문자에 대해 물었다. "정말로 선생은 말하지 않고 웃지 않고 취하지도 않는가?" 공명가가 대답했다 "말한 사람이 지나친 것 같습니다. 선생은 때가 된 뒤에 말하므로 사람들이 그의 말을 싫어하지 않으며, 즐거워한 뒤에 웃으므로 사람들이 그의 웃음을 싫어하지 않으며, 의리에 맞아야 취하므로 사람들은 그의 취함을 싫어하지 않습니다." 공자께서 말씀하셨다. "그런가? 어찌 그럴 수 있겠는가?"

때와 장소 상황에 맞게 말하고, 웃고, 술을 마시고 하는 것은 예의가 완벽한 경지에 이른 것입니다. 그래서 공자는 공숙문자라는 인물이 그렇다는 말을 듣고 감탄과 동시에 설마 하며 의심도 합니다.

15. 공자께서 말씀하셨다. "장무중이 방 땅을 점거하고 후계자를 세워줄 것을 노나라에 요구한 것이 비록 임금을 협박한 것이 아니라고 하나 나는 믿지 않는다."

16. 공자께서 말씀하셨다. "진 문공은 속임수를 쓰고 정직하지 않았고, 제 환공은 정직하고 속임수를 쓰지 않았다."

17. 자로가 말했다. "환공이 공자 규를 죽이자 소홀은 따라 죽고 관중은 죽지 않았으니 인하지 않은 것이죠?" 공자께서 말씀하셨다. "환공이 제후들을 규합하는데 무력을 쓰지 않은 것은 관중의 능력이니 그 인만 하겠는가 그 인만 하겠는가?"

18. 자공이 말했다. "관중은 어진 사람이 아니다. 환공이 공자 규를 죽이자 죽지 않고 오히려 그를 도왔다."

공자께서 말씀하셨다. “관중이 환공을 도와 제후의 패자를 만들고 천하를 한번 바로잡았으니 백성들은 오늘날까지 그의 은택을 받고 있다. 관중이 없었으면 우리는 아마 머리를 풀어 헤치고 옷깃을 왼쪽으로 여미었을 것이다. 어찌 필부들이 조그만 신의를 위해 도랑에서 스스로 목매어 죽어도 남이 알지 못하는 것과 같겠느냐?”

위의 두 대목 모두 제나라의 명재상 관중에 대한 것입니다. 관중은 제나라에서 권력을 다투던 두 공자 중 규를 섬겼습니다. 하지만 환공과의 싸움에서 패하여 공자 규는 죽임을 당하고 관중은 포로가 되었습니다. 그런데 관중은 주군에 대해 절개를 지키지 않고 항복하여 환공을 섬겼습니다. 이는 충을 강조하는 유교 입장에서는 비판 받아 마땅한 행동입니다. 하지만 공자는 그런 사사로운 절개보다 큰 관점을 요구합니다. 관중이 환공을 섬겨 천하를 안정시켰으니 그 공덕이 사사로운 충보다 크다는 것입니다. 선비 정신이 단지 기계적인 충성과 절개가 아님을 보여주는 대목입니다.

19. 공숙문자가 가신이었던 선과 함께 공조에 나가 대부가 되었다. “공자께서 들으시고 말씀하셨다. 시호를 문이라고 할만하다.”

공숙문자는 위나라의 대부 공숙발입니다. 죽은 다음 시호를 문으로 받아 공숙문자라 불립니다. 그런데 공숙문자는 자신을 섬기던 가신 선을 천거하여 자신과 같은 신분인 대부로 삼았습니다. 신분제가 엄격하던 시대에 쉽지 않은 일입니다. 나라를 위해 기여할 수 있는 인재라면 자기 밑에 있던 사람이라도 자신과 같은 서열에 추천할 수 있는 인격을 갖춘 사람이 얼마나 될까요? 이를 들은 공자는 문이라는 시호를 받을 만하다고 감탄합니다. 단락 14에서 공숙문자의 예의 바른 행동에 대해 듣고 사람이 과연 그럴 수 있느냐 의심했던 공자가 결국 공숙문자가 훌륭한 군자임을 인정하는 대목입니다.

20. 공자께서 위 영공의 무도함을 말하자 강자가 말했다. “그런데도 어째서 자리를 잃지 않습니까?” 공자께서 말씀하셨다. “중숙어는 외교사절을 접견하고 축타는 종묘를 다스리고 왕손가는 군대를 통솔하니 어찌 그 자리를 잃겠는가?”

21. 공자께서 말씀하셨다. “말이 신중하지 않으면 실행하는 것이 어렵다.”

22. 진성자가 간공을 시해하자 공자가 목욕하고 조정에 나아가 애공에게 고했다. “진항이 그의 임금을 시해했으니 토벌해 주십시오.” 공이 말했다. “저 삼가에게 고하라.” 공자께서 말씀하셨다. "내가 대부의 말석에 있기 때문에 고하지 않을 수 없었는데 임금께서는 삼가에게 고하라 하는 구나.” 삼가에게 가서 고하니 불가하다고 했다. 공자께서 말씀하셨다. “내 대부의 말석에 있기 때문에 감히 고하지 않을 수 없었다.”

진성자는 공자의 고국인 노나라 옆의 대국 제나라의 대부입니다. 그런데 진성자가 제나라 임금 간공을 시해하고 권력을 장악하는 사건이 일어납니다. 이에 공자는 노나라 임금 애공에게 이웃나라에서 신하가 임금을 시해하는 일이 일어났으니 마땅히 가서 토벌해야 한다고 청했지만 애공은 실권을 차지하고 있던 세 가문(삼가)에게 판단을 미룹니다. 그래서 공자는 삼가를 찾아 같은 요청을 했지만 삼가는 이를 허락하지 않았습니다. 신하가 임금을 시해한 것은 벌받아 마땅한 일이지만, 공자는 왜 남의 나라 사정까지 이렇게 간섭하려 하였을까요? 임금을 시해할 정도로 무도한 인물이 권력을 장악하면 결국 이웃 나라를 가만 둘리 없기 때문입니다.

23. 자로가 임금 섬기는 것에 대해 물으니 공자께서 말씀하셨다. "속이지 말고 얼굴을 맞대고 간쟁해야 한다."

24. 공자께서 말씀하셨다. "군자는 위로 천리에 통달하고 소인은 아래로 인사에 통달한다."

25. 공자께서 말씀하셨다. "옛날 배우는 사람은 자기 수양을 위해 학문을 하였고 오늘날은 남에게 알려지기 위해 학문을 한다."

26. 거백옥이 공자에게 사신을 보냈다. 공자께서 그와 함께 앉아서 물었다. "선생은 어떻게 보내시는가?" 사자가 대답했다. "허물을 적게 하고자 하시나 잘 안되는 듯합니다." 사자가 나가자 공자께서 "사자 노릇 잘 하는구나 사자 노릇 잘 하는구나."라고 하셨다.

27. 태백 14 중복

28. 증자가 말했다. "군자는 생각하는 것이 자기 자리를 벗어나지 않는다."

29. 공자께서 말씀하셨다. "군자는 말은 조심하고 행동은 여유가 있어야 한다."

30. 공자께서 말씀하셨다. "군자의 도 세 가지 중에 나는 잘하는 것이 없다. 인자는 근심하지 않고 지자는 의심하지 않고 용자는 두려워하지 않는다." 자공이 말했다. "선생님께서 하신 겸손의 말씀이다."

31. 자공이 사람들을 비교하자 공자께서 말씀하셨다. "사는 현명한가 보구나. 나는 그럴 겨를이 없다."

32. 공자께서 말씀하셨다. "다른 사람이 나를 알아주지 않는 것을 근심하지 말고 자신이 잘 하지 못하는 것을 근심해라."

33. 공자께서 말씀하셨다. "남이 속이리라 미리 생각하지 말고 나를 믿지 않으리라 억측하지 말라. 그러나 또한 그것을 먼저 깨닫는 것이 현명한 것이다."

34. 미생묘가 공자께 이르기를 "구는 어찌하여 이렇게도 연연해하나? 이것은 말재주를 부리는 것 아닌가?" 공자께서 말씀하셨다. "내 감히 말재주 부리는 것이 아니라 고집불통을 미워하는 것이다."

35. 공자께서 말씀하셨다. "천리마는 그 힘을 칭찬하는 것이 아니라 그 재주를 칭찬하는 것이다."

36. 어떤 사람이 덕으로써 원한을 갚으면 어떠하냐고 하자 공자께서 말씀하셨다. "무엇으로 은혜를 갚겠느냐? 정직으로 원한을 갚고 덕으로 은혜를 갚아야한다."

37. 공자께서 말씀하셨다. "나를 알아주는 사람이 없구나." 자공이 말했다. "어째서 선생님을 알아주는 사람이 없다고 하십니까?" 공자께서 말씀하셨다. "하늘을 원망하지 않고 사람을 탓하지 않는다. 아래로 인사를 배우고 위로 천리를 통달하였으니 나를 알아주는 자는 하늘일 것이다."

38. 공백료가 계손씨에게 자로를 참소했다. 자복경백이 공자께 이를 고하여 말하기를 "부자(계손씨)가 진실로 공백료 때문에 의심을 가졌으나, 제 힘이 사람을 죽여 거리에 달아 놓을 정도는 됩니다." 라고 하였다. 공자께서 말씀하셨다. "도가 행해지는 것도 명이며 폐하게 되는 것도 명이니 공백료가 그 명을 어떻게 하겠는가?"

공백료는 공자의 제자입니다. 그런데 당시 노나라의 실권자인 계손씨에게 대선배인 자로를 모함하는 짓을 저질렀습니다. 당시 자로는 공자의 명을 받고 노나라의 정치를 개혁하는 대규모 프로젝트를 진행중이었습니다. 그런데 노나라와 고위 관료인 자복경백이 오히려 이를 공자에게 알리고 배신자 공백료를 자기 권한으로 처치할까 묻습니다. 하지만 공자는 큰 일을 하고 있는데 그게 배신자 하나때문에 엎어지냐며 거절합니다.

39. 공자께서 말씀하셨다. "현명한 사람은 세상을 피해 은둔하고 그 다음은 살던 곳을 떠나고 그 다음은 안색을 보고 떠나고 그 다음은 말이 실행되지 않음을 보고 떠난다."

40. 공자께서 말씀하셨다. “세상을 떠나 산 사람이 일곱이다.”

41. 자로가 석문에서 하룻밤을 지냈다. 문지기가 어디서 왔느냐고 물으니 공씨의 문하에서 왔다고 말했다. 문지기가 말했다. “할 수 없는 줄 알면서 하는 자 말인가?”

42. 공자가 위나라에서 경쇠를 치고 있었는데 삼태기를 지고 공자의 집을 지나가던 자가 말했다. “세상에 마음을 두고 있구나.” 경쇠 소리에 조금 있다가 또 말했다. “저속하다. 경쇠 소리가 자기를 알아주는 자가 없으면 그만둘 뿐이다. 물이 깊으면 옷을 입은 채로 거너고 얕으면 옷을 걷고 건너야 한다.” 공자께서 말씀하셨다. “과단성이 있어서 어려울 게 없겠구나.”

앞의 네 장이 모두 세상을 피해 숨어사는 은자와 관계된 내용입니다. 공자는 은자들 역시 현명한 사람임을 인정하지만 자신은 그렇게 살지 않겠다고 뜻을 밝힙니다. 안되는 줄 알면서도 하는데 까지 세상을 바로잡아 보겠다는 것이죠. 하지만 은자들은 이런 공자를 조롱하거나 안타깝게 여기는 경우가 많았습니다.

43. 자장이 물었다. “고종이 상을 치르는 동안 삼년간 말을 하지 않았다는데 무슨 말입니까?” 공자께서 말씀하셨다. “어찌 고종 뿐이겠느냐? 옛 사람은 모두 그랬다. 임금이 죽으면 백관들이 자기 업무를 총괄해서 삼 년 동안 재상의 명을 받아 처리했다.”

44. 공자께서 말씀하셨다. “윗사람이 예를 좋아하면 백성을 부리기가 쉽다.”

45. 자로가 군자에 대해 물었다. 공자께서 말씀하셨다. "자기의 덕을 닦아서 경에 머물러야 한다." "이와 같을 뿐입니까?" 하자 "자기의 덕을 닦아 남을 편안하게 해야한다." 라고 하셨다. "이와 같을 뿐입니까? 라고 하자 "자기의 덕을 닦아 백성들을 편안하게 해야 한다. 자기 덕을 닦아 백성들을 편안하게 하는 것은 요 순도 오히려 부족하게 여기셨다."

덕으로 다스리는 왕도정치에 대해 이야기 한 단락들입니다. 그런데 공자의 덕치는 임금이 덕을 적극적으로 신하와 백성에게 펼치는 것이 아닙니다. 임금은 다만 자기 스스로의 덕을 닦고, 스스로 예를 지키고, 공경하는 태도를 유지할 뿐입니다. 그 다음에 해야 할 일은 그렇게 덕으로 맑아진 눈으로 어진 선비들을 등용하여 정치를 맡기는 것입니다. 임금이 스스로 공경하고 덕을 닦으면 그런 선비들 역시 알아서 모여들게 되어 있습니다. 그러니 사실상 임금은 자기 스스로의 덕을 닦는 것 외에는 일부러 해야 하는 일이 없습니다. 이것이 바로 일부러 하는 것이 없는 정치인 무위입니다.

46. 원양이 걸터앉은 자세로 기다리고 있었다. 공자께서 "어려서 공손하지 않고 커서 칭찬받을 것도 없고 늙어서 죽지도 않으니 이것이 바로 도적이다." 라고 하시고 지팡이로 정강이를 두드렸다.

47. 궐당의 동자가 명을 전하는 심부름을 하자 어떤 사람이 "학문이 진전이 있는 아이냐?"고 물었다. 공자께서 말씀하셨다. "나는 그가 자리에 앉아 있는 것을 보았고 선생과 나란히 걸어가는 것을 보았다. 학문의 진전을

구하는 자가 아니고 빨리 이루려는 아이다."

이 두 단락은 오늘날 특히 새겨 둘만한 내용입니다. 무엇을 얼마나 배우느냐에 앞서 그 스승, 선생님에게 예의를 지키느냐가 더 중요하다는 것입니다. 그게 안되어 있는 학생이라면 깊이 가르칠 가치가 없습니다.

제15편 위령공

1. 위나라 영공이 진 치는 것에 대해 묻자 공자께서 말씀하셨다. "제사 지내는 일은 배운 적이 있으나 군대의 일은 아직 배우지 못했습니다." 하고 그 다음날 떠났다. 진나라에 있을 때 양식이 떨어져 일행이 허기져서 일어날 수 없었다. 자로가 성이 나서 말했다. "군자도 곤궁합니까?" 공자께서 말씀하셨다. "군자는 곤궁함을 견디지만 소인은 곤궁하면 함부로 행동한다."

위나라 영공은 당시 무능한 군주의 대표자나 다름없었습니다. 무식하면 용감하다고 나라도 제대로 다스리지 못하면서 대뜸 군사 키울 생각부터 하니 공자는 떠날 수 밖에 없었습니다.

2. 공자께서 말씀하셨다. "사야 너는 내가 많이 배워서 기억하는 것이라 생각하느냐?"자공이 "그렇습니다. 아닙니까?" 라고 대답했다. 공자께서 말씀하셨다. "아니다. 나는 하나의 이치로 꿰뚫었다."

3. 공자께서 말씀하셨다. "유야 덕을 아는 자는 드물다."

4. 공자께서 말씀하셨다. "무위로 천하를 다스린 자는 아마도 순일 것이다. 무엇을 했겠는가? 몸을 공손히 하고 바르게 남면을 했을 뿐이었다."

앞에서 나왔던 행하지 않음으로써 다스리는 무위지치에 대해 언급합니다. 일부러 무엇을 하는 것이 아니라 스스로 덕을 닦고 본을 보임으로써 신하와 백성들이 각자 자기 본분을 다하도록 하는 것이 바로 무위의 다스림이며 이상적인 통치입니다. 남면이란 얼굴을 남쪽으로 한다는 뜻인데, 임금의 옥좌는 남쪽을 향해 앉게 되어 있기 때문에 임금 노릇 한다는 뜻으로 자주 쓰는 표현입니다.

5. 자장이 행세할 수 있는 방법을 묻자 공자께서 말씀하셨다. "말이 진실하고 행동이 공손하기를 돈독히 하면 비록 오랑캐 나라에서도 행세할 수 있겠지만, 말이 진실하지 못하고 행동이 공손함을 돈독히 하지 못하면 제 고향이라도 행세할 수 있겠느냐? 서 있으면 (충신독경)이 앞에 참여하는 것이 보이고 수레에 타면 멍에에 기대어 있는 것이 보이게 된 후라야 행세할 수 있다." 자장이 이 말을 옷 끈에 썼다.

자장은 학문에 뛰어났지만 자기를 과시하려는 욕구가 강한 편이었습니다. 그래서 공자는 겉으로 드러내기 보다는 오히려 안으로 내실을 다지고 겸손한 자세를 지킨다면 어디서나 행세할 수 있을 것이라며 그 공명심을 달래어 주었습니다. 자장이 스승의 참뜻을 깨닫고 이를 자기 옷 끈에 써서 잊지 않고 새겼습니다.

6. 공자께서 말씀하셨다. "곧구나 사관 어여! 나라에 도가 있을 때도 화살과 같고 나라에 도가 없을 때도 화살과 같다. 군자 답구나 거백옥이여! 나라에 도가 있을 때는 나아가 벼슬하고 나라에 도가 없을 때는 거두어 감

추는구나."

곧다는 것은 정직하다는 뜻입니다. 화살 같다는 것은 날카롭다는 뜻이 아니라 화살대처럼 바르고 꽂꽂하다는 뜻이죠. 위나라의 어라는 이름의 사관이 임금에게 바른 말을 하다 목숨을 잃었는데, 공자가 이를 듣고 정직하다고 칭찬합니다. 하지만 군자의 경지는 이 보다 더 높아야 합니다. 목숨을 아끼지 않고 바른 말을 하는 것이 아니라 자기 뜻을 드러내고 감출 때를 잘 살펴 뜻을 이루어야 합니다. 그러니 선비정신하면 떠올리는 올바른 일에 목숨을 걸고 굽히지 않는 강직한 모습은 공자의 참뜻을 오해한 것입니다.

7. 공자께서 말씀하셨다. "더불어 말할 수 있는데 말하지 않으면 사람을 잃어버리고, 더불어 말할 수 없는데 말하면 말을 잃어버린다. 지혜로운 사람은 사람을 잃어버리지 않으면서 말도 잃어버리지 않는다."

8. 공자께서 말씀하셨다. "뜻있는 선비와 인한 사람은 살기 위하여 인을 해치는 일이 없지만 자신이 죽어서 인을 이루는 일은 있다."

9. 자공이 인을 행하는 방법을 묻자 공자께서 말씀하셨다. "장인이 일을 잘 하려고 하면 반드시 먼저 연장을 손질해야 하듯 그 나라에 살면서 대부 가운데 어진이를 섬기고 선비중에 인한 자를 벗삼아야 한다."

10. 안연이 나라를 다스리는 방법을 묻자 공자께서 말씀하셨다. "하나라의 책력을 사용하고 은나라의 수레를 타며 주나라의 면류관을 써야 한다. 악은 소무로 하고

정나라 음악은 쓰지 말고 말재주 부리는 자를 멀리 해야 한다. 정나라 음악은 음탕하고 말재주꾼은 위태롭다."

정나라는 요즘으로 치면 팝 음악이 발달한 곳이었습니다. 그래서 중국 곳곳에 정나라 음악이 유행하고 있었는데, 공자는 이를 못마땅하게 여겼습니다. 공자는 음악이 사람 마음에 큰 영향을 준다고 믿었기 때문입니다.

11. 공자께서 말씀하셨다. "사람이 멀리 보고 생각하지 않으면 반드시 가까운 곳에 근심거리가 있다."

12. 공자께서 말씀하셨다. "그만 두어야겠다. 나는 아직 덕을 좋아하기를 여색을 좋아하듯 하는 사람을 보지 못했다."

남존여비의 시대라 여성을 폄하하는 느낌을 줍니다. 여색 대신 색, 즉 성애로 바꾸어 이해하는 것이 좋겠습니다.

13. 공자께서 말씀하셨다. "장무중은 벼슬자리만 훔친 자가 아닌가? 유하혜가 어진 사람이란 것을 알고도 함께 조정에 서지 않았다."

유하혜는 당시 노나라에서 어질기로 유명한 인물이었습니다. 하지만 강직하여 적이 많았죠. 장무중은 진나라의 대부로 실권을 쥐고 있었던 인물입니다. 유하혜가 어질다는 것을 알면서도, 오히려 알고 있었기에 그를 배척했습니다. 공자는 이를 비난하고 있습니다.

14. 공자께서 말씀하셨다. “자신을 책하는 데는 엄격하고 남을 책하는 데는 관대하면 원망하는 사람이 적을 것이다.”

15. 공자께서 말씀하셨다. “어떻게 할까 어떻게 할까라고 하지 않는 사람은 나도 어떻게 할 수 없다.”

16. 공자께서 말씀하셨다. “여럿이 종일토록 모여서도 말하는 것이 의에 이르지 않고, 작은 꾀를 내는 것만 좋아하니 어렵구나!”

17. 공자께서 말씀하셨다. “군자는 의로써 바탕을 삼고 예로써 행하고 공손함으로써 나타내고 신실함으로써 이룬다. 이것이 군자로다.

18. 공자께서 말씀하셨다. “군자는 무능함을 걱정하지 남이 알아주지 않음을 걱정하지 않는다.”

19. 공자께서 말씀하셨다. “군자는 죽을 때까지 이름이 나지 않는 것을 싫어한다.”

공자는 자공, 자장처럼 공명심이 높거나 자로, 염구처럼 현실 정치에 관심이 많은 제자를 달래는 편이었지만, 그렇다고 숨어서 학문만 하는 은자의 삶도 권장하지는 않았습니다. 공자는 현실에 참여하여 세상을 바로잡되, 안 될 것 같을 때는 무리하지 말고 물러나는 적절한 균형감각을 강조하고 있습니다.

20. 공자께서 말씀하셨다. “군자는 자기 자신에게서 찾고 소인은 남에게서 찾는다.”

21. 공자께서 말씀하셨다. "군자는 씩씩하지만 다투지 아니하고 여러 사람과 잘 지내고 편가르기를 하지 않는다."

22. 공자께서 말씀하셨다. "군자는 말 때문에 사람을 등용하지 않으며 사람 때문에 말까지 버리지 않는다."

위령공 편의 17장부터 22장은 "군자는 OO하다."라는 문장의 연속입니다. 이 문장들을 목록으로 만들면 공자가 말하는 군자가 어떤 유형의 사람인지 그림을 그려 볼 수 있습니다. 군자는 예의 바르고, 공손하고, 자기 이익보다 바른 도리를 앞세우고, 남 탓을 하지 않고, 함부로 다투지 않으며, 말을 함부로 하지 않고, 또 말을 쉽게 믿지도 않는 사람이네요.

23. 자공이 한 마디 말로 평생토록 행해야 할 만한 것이 있느냐고 묻자 공자께서 말씀하셨다. "아마 서일 것이다. 자기가 원하지 않는 것을 남에게 베풀지 말아야 한다."

공자는 딱 짚어서 인이 무엇이라고 말하지는 않았습니다. 영특한 제자 자공은 공자가 인에 대한 규정을 내리도록 다양한 방법으로 질문을 했는데, 마침내 소원을 풀었네요. 평생토록 행해야 할 단 하나를 꼽아 달라고 했으니 대답 안 할 수가 없습니다. 공자는 서(恕)라는 단 한 글자를 알려줍니다. 이는 함께, 같이 라는 뜻의 여와 마음 심이 합쳐진 말입니다. 한 마디로 다른 사람의 입장과 처지를 공감하는 것이죠. 그런데 다른 사람의 마음 속을 들여다볼 수 없으니 자기 마음을 헤아려 내가 싫은 일을 남에게도 행하지 말라는 것입니다. 이런 마음을 순간 순간에 그치지 않고 일관성 있게 계속 유지하는 것이 충입니다. 즉 인의 핵심은 충과 서입니다.

24. 공자께서 말씀하셨다. "내가 다른 사람에 대해 누구를 헐뜯고 누구를 칭찬하겠는가? 만약 칭찬한 사람이 있다면 시험해 본 바가 있어서다. 이 사람들은 삼대 이래로 바른 도로써 행해 온 이들이기 때문이다.

25. 공자께서 말씀하셨다. "나는 사관이 글을 빼놓고 기록하지 않는 것, 말을 다른 사람에게 빌려주어 타게 하는 것을 보았으나 지금은 그런 것이 없구나."

26. 공자께서 말씀하셨다. "교묘한 말은 덕을 어지럽히고 작은 것을 참지 않으면 큰 일을 그르친다."

27. 공자께서 말씀하셨다. "많은 사람이 미워해도 반드시 살펴봐야 하고 많은 사람이 좋아해도 반드시 살펴봐야 한다."

28. 공자께서 말씀하셨다. "사람이 도를 넓히지 도가 사람을 넓히는 것이 아니다."

29. 공자께서 말씀하셨다. "잘못을 하고도 고치지 않는 것을 일러 잘못이라고 한다."

30. 공자께서 말씀하셨다. "내 일찍이 종일 먹지 않고 밤새도록 자지 않으면서 생각해 봤지만 아무런 이익됨이 없었고 배우는 것만 못했다."

31. 공자께서 말씀하셨다. "군자는 도를 이루려고 하고 먹는 것을 도모하지 않는다. 농사를 지어도 굶주림이 있고 학문을 해도 녹이 그 가운데 있다. 군자는 도를 근심하지 가난을 근심하지 않는다."

32. 공자께서 말씀하셨다. "지혜가 미치더라도 인으로써 지킬 수 없으면 반드시 잃어버린다. 지혜가 미치고 인으로써 지키더라도 위엄이 없으면 백성들이 공경하지 않는다. 지혜가 미치고 인으로써 지키고 위엄으로써 임해도 예로써 감동시키지 않으면 완전하지 못하다."

33. 공자께서 말씀하셨다. "군자는 작은 것은 알지 못해도 큰 일을 맡아서 할 수 있으며 소인은 큰일을 할 수는 없지만 작은 것은 알 수 있다."

34. 공자께서 말씀하셨다. "사람은 인에 대해서 물이나 불보다 더 중요하게 생각해야 한다. 나는 물과 불을 밟다 죽는 것은 보았지만 인을 밟고 죽는 사람은 아직 보지 못했다."

35. 공자께서 말씀하셨다. "인을 행하는 경우라면 스승에게도 양보하지 않는다."

36. 공자께서 말씀하셨다. "군자는 곧은 도리를 지키고 작은 신의에 얽매이지 않는다."

37. 공자께서 말씀하셨다. "임금을 섬길 때는 그 일을 공경하고 공은 뒤로 한다."

38. 공자께서 말씀하셨다. "가르치면 구분이 없어

진다."

이 부분은 "가르침에는 차별이 없다."라고 옮기면서 일종의 평등교육으로 해석하기도 합니다. 하지만 주자는 이를 교육의 출발점이 아니라 도착점으로 보았습니다. 즉 누구나 가르친다가 아니라 누구라도 가르친다면 경지에 이를 수 있다로 본 것이죠. 어느 쪽이 바른 해석일까요? 일단 여기에서는 주자의 해석으로 번역합니다.

39. 공자께서 말씀하셨다. "도가 같지 않으면 함께 일을 도모하지 않는다."

40. 공자께서 말씀하셨다. "말은 뜻을 전달 하기만 하면 된다."

41. 악사 면이 공자를 뵙는데 계단에 이르자 공자께서 계단이라고 하시고 자리에 오자 자리라 하시고 모두 앉자 누구는 여기에 있고 누구는 여기에 있다고 일러 주셨다. 악사 면이 나가자 자장이 악사와 더불어 말하는 방법이냐고 묻자 공자께서 말씀하셨다. "그렇다. 이렇게 하는 것이 본래 악사를 돕는 방법이다."

당시 악사들 중에는 장님이 많았습니다. 그래서 공자는 자신이 악사보다 훨씬 신분이 높음에도 불구하고 앞을 보지 못하는 악사 면을 위해 계단의 위치, 동석한 사람들의 이름과 위치를 목소리로 안내해 주었습니다. 이게 공명심 높은 자장에게 좀 어색했나 봅니다. 아무래도 대부가 악사를 이렇게까지 돕는게 예법은 아닌 것 같으니 말입니다. 하지만 다른 사람의 마음을 헤아려 공감하는 인이 바탕이 되어야 예가 의미가 있는 법, 그래서 공자는 이게 악사를 돕는 방법이라 대답하였습니다.

제16편 계씨

1. 계씨가 전유를 정벌하려 하자 염유와 계로가 공자를 뵙고 계씨가 전유에서 일을 벌이려 한다고 하니 공자께서 말씀하셨다. "구야 이것은 너의 잘못이 아니냐? 전유는 옛날에 선왕이 동몽산의 제주로 삼았고 또한 나라의 중앙에 위치해 있어 이는 사직의 신하인데 무엇 때문에 정벌하려 하느냐?" 염유가 말했다. "부자가 하려하는 것이지 우리 두 신하는 모두 원하지 않습니다." "구야 주임이 이렇게 말했다. 힘을 다해 대열에 나아가 할 수 없으면 그만 둔다. 위험해도 잡아주지 않고 넘어져도 붙들어주지 못하면 이런 사람을 어디에 쓰겠느냐? 또 너의 말이 잘못되었다. 호랑이나 들소가 우리에서 뛰쳐나가고 거북가죽과 옥이 궤짝에서 훼손된다면 이것은 누구의 잘못이냐?" 염유가 말했다. "전유는 성곽이 견고하고 비 땅에서 가까워 지금 취하지 않으면 후세에 반드시 자손들의 근심이 될 것입니다." 공자께서 말씀하셨다. "구야 군자는 하고자 한다고 말하지 않고 변명하는 것을 싫어한다. 나는 듣건데 나라를 다스리는 자는 백성이 적은 것을 근심하지 않고 균등하지 않음을 근심하고 가난함을 근심하지 않고 편안하지 못함을 근심한다고 했다. 균등하면 가난함이 없고 화합하면 백성들이 줄어들지 않고 편안하면 나라가 망하는 법이 없다. 이와 같으므로 멀리있는 사람들이 복종하지 않으면 문덕을 닦아서 오게 하고 오면 편안하게 해주어야 한다. 지금 유와 구는 부자를 도우면서 멀리 있는 사람들이 복종하지 않는데도 오게 하지 못하고 나라가 쪼개지고 무너져도 지키지 못하면서 나라 안에서 병력을 움직일 모의만 하고 있으니 나는 계손씨의 근심이 전유에 있지 않고 집안에 있는 것이 아닌가 걱정이 된다."

이 부분은 역사적인 배경을 알아야 이해할 수 있습니다. 공자의 나라인 노나라는 명목상 주나라 왕으로부터 책봉받은 공작의 나라입니다. 그리고 계씨니 전유씨니 하는 사람들은 노공의 신하인데, 제후의 신하를 대부라 불렀습니다. 왕의 명령 없이 제후끼리 전쟁하는 것도 있을 수 없는 일이지만, 그런 일이 버젓이 일어난 시대가 춘추시대입니다. 그리고 이를 도가 떨어졌다, 난세다 이렇게 말하는 것이죠. 그런데 제후의 신하인 대부가 다른 대부를 쳐서 토벌한다면 공자 입장에서 이건 천하의 도리가 완전히 땅에 떨어지는 일입니다. 아무리 계씨가 실권을 쥐고 노공이 허수아비라 하더라도 말입니다. 그런데 공자의 제자들 중에는 그 계씨의 가신이 적지 않았습니다. 그러니 공자 입장에서는 어째서 이런 일을 막지 못했느냐고 질책할 수 밖에 없는 것입니다.

2.　　　공자께서 말씀하셨다. "천하에 도가 있으면 예악정벌이 천자로부터 나오고 도가 없으면 제후로부터 나온다. 제후로부터 나오면 10세 안에 망하지 않는 나라가 드물고 대부로부터 나오면 5세 안에 망하지 않는 나라가 드물며 가신이 나라의 전권을 잡으면 3세 안에 망하지 않는 나라가 드물다. 천하에 도가 있으면 정권이 대부에게 있지 않고 천하에 도가 있으면 백성들이 정사를 논의하지 않는다."

3.　　　공자께서 말씀하셨다. "녹을 주는 일이 공실을 떠난지 5세가 되었고 정사가 대부의 손에 간 것이 4세가 되었다. 그러므로 삼환의 자손(노나라의 세도가인 숙손, 계손, 중손씨)이 미약하다."

제후가 왕과 맞먹으려 들고, 그 제후의 대부가 제후와 맞먹으려 드는 당시 세태를 한탄하며 이런 식이면 결국 나라도 망하고 그 제후와 대부도 망한다며 탄식하고 있습니다.

4. 공자께서 말씀하셨다. "유익한 벗이 셋이며 해로운 벗이 셋이다. 벗이 곧고 신실하며 견문이 많으면 유익한 벗이고 벗이 치우치고 부드럽기만 하고 말재주만 있으면 해로운 벗이다."

5. 공자께서 말씀하셨다. "유익한 좋아함이 셋이고 해로운 좋아함이 셋이다. 예악을 조절하기를 좋아하고 남의 좋은 점을 말하기 좋아하며 현명한 벗이 많음을 좋아하는 것은 유익한 좋아함이고, 방탕한 것을 좋아하고 게을러서 놀기를 좋아하며 향락에 빠지는 것을 좋아하는 것은 해로운 좋아함이다."

이 두 대목은 하나의 내용으로 보면 도움이 됩니다. 결국 말과 행동을 진실하게 하면서도 잘 절제하고 가지런하게 하는 것이 유익하고, 거짓으로 꾸미거나 치우치거나 거칠면 해롭습니다. 여기서 인, 예, 중이라는 중요한 덕목을 알아볼 수 있습니다.

6. 공자께서 말씀하셨다. "군자를 모실 때 세가지 허물이 있기 쉽다. 말할 때가 아닌데 말하는 것을 조급하다고 하고, 말할 때가 되었는데 말하지 않는 것을 숨긴다고 하고, 안색을 살피지 않고 말하는 것을 장님이라고 한다."

7. 공자께서 말씀하셨다. "군자에게는 세가지 경

계해야 할 것이 있다. 젊었을 때는 혈기가 아직 안정되지 않아서 경계함이 정욕에 있고, 장년에는 혈기가 왕성해서 경계함이 싸움에 있고, 늙어서는 혈기가 쇠퇴 했으므로 경계함이 탐욕에 있다."

8. 공자께서 말씀하셨다. "군자에게는 세가지 두려워하는 것이 있으니 천명과 대인과 성인의 말씀이다. 소인은 천명을 알지 못해서 두려워하지 않고 대인을 함부로 대하고 성인의 말씀을 업신여긴다."

9. 공자께서 말씀하셨다. "태어나면서 아는 사람은 상등이고 배워서 아는 사람은 그 다음이고 막혀서 배우는 사람은 또 그 다음이다. 막혔는데도 배우지 않는 사람은 하등이다."

공부를 못하는 사람보다 더 못난 사람은 공부할 필요가 생겼음에도 불구하고 배우려 하지 않는 사람입니다. 태어나면서 아는 사람은 성인이나 가능한 경지이니, 우리는 막히면 배우는 습관을 들여야 하겠습니다. 그러다 보면 배움 자체를 즐기게 되어 배워서 아는 사람 수준까지 갈 수 있을 것입니다.

10. 공자께서 말씀하셨다. "군자는 아홉 가지 생각하는 것이 있다. 볼 때는 분명하게 볼 것을 생각하고, 들을 때는 똑똑하게 들을 것을 생각하고, 얼굴빛을 온화하게 가질 것을 생각하고, 몸가짐을 공손하게 가질 것을 생각하고, 말을 신실하게 할 것을 생각하고, 일을 신중히 할 것을 생각하고, 의심 나는 것은 물어 볼 것을 생각하고, 분할 때는 어려운 일이 올 것을 생각하고, 이익을 얻었을 때는 의를 생각한다."

이른바 군자의 구사라는 것입니다. 군자라면 늘 생각하고 실천해야 하는 행동 규범이라고 할 수 있습니다.

11. 공자께서 말씀하셨다. "선한 것을 보면 따라가지 못하는 듯 하고 선하지 못한 것을 보면 물에 데는 것 같이 하라 했는데, 나는 그런 사람을 보았고 그런 말을 들었다. 숨어 살면서 자기 뜻을 굳게 지키고 의를 행함으로써 도를 실천한다고 했는데, 나는 그런 말을 들었으나 그런 사람을 아직 보지 못했다.

12. 제나라 경공이 말이 사천 필이 있었으나 죽을 때 백성들이 덕이 있다고 칭송하는 사람이 없었고 백이 숙제는 수양산 아래서 굶어 죽었으나 백성들이 지금까지 칭송한다. 아마 이것을 이르는 것이 아닌가?"

공자는 세상을 떠나 숨어 살며 도를 닦는 은자들을 존중했습니다. 세상에 받아들여지지 않으면서 자신을 받아줄 군주를 찾아 여러 나라를 떠돌아다니며 고생할 때는 그들을 부러워하기도 했습니다. 과감히 세상을 포기하는 선택을 했다고 말이죠. 하지만 자신은 안될 줄 알면서도 세상을 바로잡아 보려는 꿈을 버리기 어렵다며 탄식하기도 했죠. 숨어 살면 자기 뜻을 굳게 지킬 수는 있지만 의를 실천할 수는 없기 때문입니다. 그러면서 혹시 백이와 숙제는 그렇다고 할 수 있을까 하고 반문해 봅니다. 백이와 숙제는 상나라의 왕자들로, 주무왕이 상나라를 멸망시키자 주나라의 곡식을 먹을 수 없다며 형제가 함께 산에 들어가 고사리만 캐어먹다 죽었다고 합니다.

13. 진강이 백어(공자의 아들)에게 "그대는 역시 특별히 들은 것이 있겠지?" 하고 물으니 백어가 대답했다. "아직 없다. 일찍이 혼자 서 계실 때 내가 뜰을 빠른 걸음으로 지나가자 '시를 배웠느냐?' 하시기에 아직 배우지 않았다고 대답하자 '시를 배우지 않으면 말을 할 수 없다' 하시기에 물러나와 시를 배웠다. 다른 날 또 혼자 계실 때 내가 뜰을 빠른 걸음으로 지나가자 '예를 배웠느냐?' 하시기에 아직 배우지 않았다고 대답하자 '예를 배우지 않으면 설 수 없다' 하시기에 물러나와 예를 배웠다. 이 두가지를 들었다." 진강이 물러나와 기뻐하며 말했다. "하나를 물어 세가지를 들었다. 시를 들었고 예를 들었고 군자는 자기 자식을 멀리한다는 것을 들었다."

공자의 자식 교육을 엿볼 수 있는 대목입니다. 먼저 시, 그리고 예. 이는 앞에서도 여러차례 강조한 먼저 바탕, 그 다음에 무늬, 채색 순서 그대로입니다.

14. 그 나라의 임금의 처를 임금이 부를 때는 부인이라 하고 부인 스스로는 소동이라 하고 그 나라 백성들은 군부인이라 하고 다른 나라 사람들에게 말할 때는 과소군이라 하고 다른 나라 사람들이 부를 때도 군부인이라 고 한다.

제17편 양화

1.	양화는 공자가 자기를 찾아오기를 바랐으나 찾아오지 않아서 공자에게 삶은 돼지를 예물로 보냈다. 공자는 그가 없는 틈을 타서 절하고 오다가 길에서 만났다. 공자에게 일러 말했다. “이리 오십시오. 내 그대와 할 말이 있소. 보물을 감추어 두고 나라를 어지럽게 놔두는 것이 인하다 하겠는가? 그렇지 않겠지요? 일하기를 좋아하면서 자주 때를 놓지는 것이 지혜롭다 하겠는가? 그렇지 않겠지요? 세월은 갑니다. 세월은 우리를 돕지 않습니다.” 공자께서 말씀하셨다. “알았습니다. 나도 벼슬하려고 합니다.”

양화는 계씨의 가신으로 양호라고도 합니다. 가신이란 나라의 관직이 아니라 유력한 가문에 소속된 신하입니다. 사실 계씨도 노나라의 군주가 아니라 그 신하인 대부이면서 군주를 허수아비로 만들고 권력을 차지한 것이라 공자가 마땅치 않아 했는데, 심지어 그 대부의 가신이 나라의 실권을 쥐고 있으니, 이건 나라 꼴이 말이 아닌 것입니다. 양화는 어떻게 해서든지 공자를 만나 벼슬 하라고 설득하려 했습니다. 공자는 한사코 양화를 피해 다니면서 숨바꼭질을 했습니다.

2.	공자께서 말씀하셨다. “기질의 성은 비슷하나 습관에 의해 서로 달라 진다.”

3.	공자께서 말씀하셨다. “지극히 지혜로운 사람과 어리석은 사람은 기질을 바꿀 수 없다.”

기질은 훗날 성리학에서는 물질적인 것, 육체적인 것의 의미로 많이 사용되었습니다. 생물학적, 물리학적으로 정해진 것으로. 말하자면 유전자에 새겨진 것이라고 이해하면 됩니다. 하지만 아무리 같은 유전자를 타고 태어나도 후천적인 교육과 훈련에 따라 얼마든지 다른 사람이 될 수 있습니다. 다만 그 유전자가 너무 강하면, 즉 엄청난 천재이거나 소시오 패스거나 이러면 교육과 훈련의 효과가 의미 없겠죠. 하지만 이는 우리 대부분과는 관계없는 일이겠죠?

4. 공자께서 무성에 가서 비파를 연주하며 노래 부르는 소리를 듣고 빙그레 웃으시며 말씀하셨다. “닭 잡는데 어찌 소잡는 칼을 쓰는가?” 자유가 대답했다. “옛날에 저는 선생님께서 군자는 도를 배우면 사람을 사랑하고 소인은 도를 배우면 부리기 쉽다고 하신 말씀을 들었습니다.” “제자들아 언의 말이 옳다. 앞에 한 말은 농담이다.”

5. 공산불요가 비땅을 점거하여 반란을 일으키고 공자를 부르자 공자께서 가시고자 하니 자로가 불쾌히 말했다. “갈 곳이 없으면 그만 두시지 하필 공산씨에게 가십니까?” 공자께서 말씀하셨다. “나를 부른다면 어찌 할 일 없이 부르겠느냐? 만약 나를 등용한다면 나는 동주를 만들 것이다.”

공자의 인간적인 면모를 보여주는 대목들입니다. 계씨가 노공을 허수아비로 만들고 권력을 휘둘렀는데, 이제는 계씨의 가신이 계씨를 잡아 가두고 권력을 탈취하는 사태까지

발생했습니다. 그 중 한 사람이 공산불요(혹은 공산불뉴라고 도 함)입니다. 하지만 아무도 자신을 써주지 않는 상황에 상심한 공자는 그런 공산불뉴라도 자신을 써 준다면 가서 정치를 할 생각이 있었습니다. 반면 공자 제자들을 대표하는 위치에 있던 자로는 그런 스승에게 노골적으로 불만을 드러냈습니다.

6. 자장이 공자에게 인에 대해 물으니 공자께서 말씀하셨다. "어디를 가나 이 다섯 가지를 행할 수 있으면 인이 될 것이다." 다섯 가지를 묻자 "공손함 너그러움 신실함 민첩함 자혜로움"이라고 말씀하셨다. "공손하면 남이 업신여기지 않고 너그러우면 사람들이 따르고 신실하면 사람들이 의지하고 민첩하면 공을 세울 수 있고 자혜로우면 사람을 부릴 수 있다."

7. 필힐이 부르자 공자께서 가시고자 하니 자로가 말했다. "옛날에 유는 선생님께서 자기 몸소 불선한 짓을 하는 사람의 무리에는 군자는 들어가지 않는다고 하시는 말씀을 들었는데 필힐이 중모 땅을 점거하고 배반을 했는데 선생님께서 가시는 것은 어째서 입니까?" 공자께서 말씀하셨다. "그렇다. 이런 말도 있다. 견고하다 하지 않겠는가? 갈아도 닳지 않으니. 희다고 하지 않겠는가? 물들여도 검어지지 않으니. 내 어찌 표주박 같이 매달려서 먹지 못하겠는가?"

5장과 비슷한 상황입니다. 필힐 역시 양호, 공산불요처럼 제후의 대부의 가신으로서 한 지역을 꿰차고 독립(말하자면 반란)한 인물입니다. 그런데 공자는 그런 자를 만나려 하였습니다. 이럴 때 마다 성내며 강직하게 반대하는 인물이 자로입니다. 자로는 군주를 배반한 세력가의 초청을 받아들인 공자를 힐난하고, 공자는 나는 그런 무리들 틈에 들어가더라도 자신을 잘 지키고 타락하지 않을 자신이 있다며 애써 변명합니다. 하지만 그 변명이 조금은 옹색하게 느껴지는 것도 사실입니다. 그만큼 당시 공자는 자신의 뜻을 펼칠 기회에 목말라 있었던 것입니다.

8. 공자께서 "유야 너는 육언 육폐 라는 말을 들었느냐?" 라고 말씀하자 아직 듣지 못했다고 대답했다. "자리에 앉아라 너에게 말해주겠다. 인을 좋아하고 배우는 것을 좋아하지 않으면 그 폐는 어리석고, 지를 좋아하고 배우는 것을 좋아하지 않으면 그 폐는 방탕하고, 신을 좋아하고 배우는 것을 좋아하지 않으면 그 폐는 남을 해치고, 직을 좋아하고 배우는 것을 좋아하지 않으면 그 폐는 박절하고, 용을 좋아하고 배우는 것을 좋아하지 않으면 그 폐는 난을 일으키고, 강을 좋아하고 배우는 것을 좋아하지 않으면 그 폐는 경솔하다."

어질고 지혜롭고 신의있고 정직하고 용감하고 강한 것은 다 좋은 덕목들입니다. 하지만 이 좋은 덕목, 품성이 배움, 즉 예악과 같은 인문, 예술 소양으로 다듬어지지 않으면 오히려 야만적인 행동으로 흘러갈 수 있어 폐를 끼치게 됩니다.

9. 공자께서 말씀하셨다. "제자들아 어째서 시를 배우지 않느냐? 시는 사람의 의지를 분발시키고 세상일을 살펴볼 수 있고 여러 사람과 어울릴 수 있고 원망할 수 있다. 가까이는 어버이를 섬기고 멀리는 임금을 섬기며, 새 짐승 초목의 이름을 많이 알 수 있다."

10. 공자께서 백어에게 말했다. "너는 주남 소남을 배웠느냐? 사람이 주남 소남을 배우지 않으면 아마 바로 담장을 마주해서 서 있는 것과 같을 것이다."

앞의 두 대목 모두 시경의 중요성을 강조하고 있습니다. 시경은 다만 문학이 아니라 노래이기도 합니다. 그래서 여기서 말하는 시는 오늘날 국어책에 나오는 그런 시가 아니라 일종의 가곡이라고 이해하는 편이 좋습니다. 시와 음악은 늘 하나입니다. 물론 아무 시나 다 좋은 것은 아니고 좋은 뜻이 함축적으로 담긴 시라야 좋고, 또 아무 음악이나 다 좋은 게 아니라 선한 마음이 느껴지는 그런 음악이라야 좋습니다. 공자의 교육은 이렇게 시와 음악, 즉 문화예술교육에서 시작합니다.

11. 공자께서 말씀하셨다. "예다. 예다 하는 것이 옥과 비단을 이르는 것이겠느냐? 악이다 악이다 하는 것이 종과 북을 이르는 것이겠느냐?"

12. 공자께서 말씀하셨다. "겉으로는 위엄이 있으면서 안으로는 유약한 사람을 소인에 비유하면 벽을 뚫거나 담을 넘어 들어오는 도둑과 같은 것이다."

13. 공자께서 말씀하셨다. "모든 사람이 근후하다고 하는 사람은 덕을 해치는 자이다."

14. 공자께서 말씀하셨다. "길에서 듣고 길에서 말해버리는 것은 덕을 버리는 것이다."

좋은 말을 배웠으면 이걸 잘 새겨 두었다가 실제 삶에서 적용해야 합니다. 그런데 뭐 하나 배웠다고 바로 입으로 나불거린다면 이건 헛배운 것입니다.

15. 공자께서 말씀하셨다. "용렬한 사람과 함께 임금을 섬길 수 있겠는가? 자리를 얻지 못했을 때는 얻을 것을 근심하고, 얻고 나서는 잃을까 근심한다. 진실로 잃을 것을 근심하면 안 하는 일이 없을 것이다."

여기서 안 하는 일이 없다는 것은 부지런하다는 뜻이 아닙니다. 해서는 안 될 일까지 온갖 일을 다 한다는 부정적인 의미입니다.

16. 공자께서 말씀하셨다. "옛날에는 사람에게 세 가지 병통이 있었는데 지금은 아마 이것도 없는 것 같다. 옛 광자는 작은 예절에 얽매이지 않았는데 오늘날 광자는 방탕하기만 하고 옛 긍자는 모가 났으나 오늘날 긍자는 사납기만 하고 옛 우자는 정직했으나 오늘날 우자는 간사할 뿐이다."

여기서 광자는 정신 나간 사람이란 뜻이 아니라 어떤 일에 대한 뜻이나 열의가 강한 사람이란 뜻입니다. 요즘에도 "등산에 미치다" 이런 식으로 말하죠? 그래서 오히려 긍정적인 의미로 사용하고 있습니다. 긍자는 자긍심이 강한 사람을 말합니다. 모가 났다는 말은 성격이 모질다는 것이 아니라 예리하고 엄격하다는 뜻입니다.

17. 학이 3. 중복

18. 공자께서 말씀하셨다. "자주색이 붉은 색의 자리를 뺏는 것을 미워하며 정나라 음악이 아악을 어지럽히는 것을 미워하며 말재주 부리는 사람이 나라를 망치는 것을 미워한다."

여기서 자주색과 붉은 색은 비유입니다. 자주색은 혼합된 색깔이고 붉은 색은 원색입니다. 그래서 붉은 색은 왕의 색, 자주색은 제후의 색입니다. 붉은 색은 원천, 자주 색은 그 변형입니다.

19. 공자께서 말씀하셨다. "나는 말이 없고자 한다." 자공이 말했다. "선생님이 말씀하지 않으시면 저희들이 무엇을 전하겠습니까?" 공자께서 말씀하셨다. "하늘이 무슨 말을 하느냐? 그래도 사계절이 오고 온갖 생물이 자란다. 하늘이 무슨 말을 하느냐?"

공자는 도란 말이 아니라 실행을 통해 몸에 익히고, 그 다음에 이를 마음을 착하게 만들어 덕을 쌓고, 이 덕이 흩어지지 않게 시서예악 등으로 가다듬어야 한다고 했습니다. 그런데 스승의 말에 너무 의존하면 정작 실행과 수양 보다는 시서예악의 이론과 지식에 치우치게 됩니다. 그러니 말과 글을 통해 배우지 말고, 자연 속에서, 세상 속에서 그 속에 깃든 도리를 스스로 관찰하고 발견하고 깨우치라며 당분간 침묵으로 가르치겠다고 선언하고 있습니다.

20. 유비가 공자를 뵙고자 하자 공자께서 병을 구

실로 거절하고 명을 전하는 자가 방문을 나서자 비파를 연주하며 노래를 하여 그로 하여금 듣게 했다.

여기서 유비는 삼국지의 그 유비가 아니라 당시 노나라의 관리입니다. 일찍이 공자에게 예법을 배운 적 있으니, 제자라고 봐야 하겠죠. 공자는 병을 핑계로 유비와의 만남을 거절했습니다. 그런데 그 소식을 전하는 사람이 들을 수 있게 일부러 음악을 연주하였습니다. 자신이 진짜 병석에 누워있는 것이 아님을, 즉 병 때문에 만나기 않는 것이 아님을 넌지시 암시한 것입니다. 왜 이랬을까요? 아마 유비가 무언가 잘못을 저지른 모양인데, 도무지 반성을 안하는 모양입니다. 그래서 그것이 무엇인지 스스로 깨우친 다음에 만나러 오라는 말없는 가르침을 내린 것입니다.

21. 재아가 삼년상을 일년만 해도 너무 긴 것 아니냐고 물었다. "군자가 삼 년 동안 예를 행하지 않으면 예가 없어지고 삼 년 동안 악을 익히지 않으면 악이 무너질 것입니다. 묵은 곡식이 없어지고 햇곡식이 익으며 불씨도 갈아야 하니 일년이면 그만둘 만 합니다." 공자께서 말씀하셨다. "쌀밥을 먹고 비단옷을 입는 것이 너는 편안하냐?" "편안합니다." "네가 편안 하다면 그렇게 해라. 군자가 상을 당하면 맛있는 것을 먹어도 달지 않으며 음악을 들어도 즐겁지 않고 거처가 불안하다. 그래서 하지 않는 것인데 지금 네가 편안 하면 그렇게 해라." 재아가 나가자 공자께서 말씀하셨다. "여는 인하지 못하구나. 자식이 태어나서 삼 년이 지나야 부모의 품을 떠난다. 그래서 삼년상은 천하에 공통된 것이다. 여도 부모로부터 삼 년 동안 사랑을 받았을텐데?"

재아(재여)라는 제자는 공문십철에 포함될 정도로 재능이 뛰어난 인물이었습니다. 하지만 공부는 잘했지만 덕행이 거기 미치지 못해 공자를 여러 차례 실망시킨 인물입니다. 그렇게 욕하면서도 쫓아내지는 않은 것을 보아 공자 역시 그 재주가 아까워 미련을 많이 남겼던 모양입니다. 그런 재아가 공자의 가르침에 의문을 던집니다. 3년상이 너무 과하지 않느냐는 것이죠. 예전에는 부모가 돌아가시면 3년간 상복을 입었습니다. 요즘은 사흘, 길어야 49재면 끝나지만, 그때는 그랬습니다. 어쨌든 재아는 3년 씩이나 초상을 치르면 너무 낭비가 아니냐며 합리적인 근거를 들어가며 1년상으로 줄이자고 제안합니다. 그래서 공자는 아이가 태어나 부모의 보살핌을 받는 기간이 3년이라는 역시 나름의 근거를 들어서 반박합니다.

22. 공자께서 말씀하셨다. “배불리 먹고 하루 종일 마음 쓸 곳이 없으면 덕을 기르기 어려울 것이다. 장기나 바둑이 있지 않은가? 장기나 바둑을 두는 것도 아무것도 하지 않는 것보다 낫다.“

23. 자로가 군자도 용기를 으뜸으로 삼느냐고 묻자 공자께서 말씀하셨다. “군자는 의를 으뜸으로 삼는다. 군자에게 용기가 있으나 의가 없으면 난을 일으키고 소인에게 용기가 있으나 의가 없으면 도둑이 된다.”

용기는 가치 있는 덕목이긴 하지만 그 자체로는 선도 악도 될 수 있습니다. 예라는 것이 인을 바탕으로 하지 않으면 그저 번잡한 절차에 불과하듯, 용기라는 것 역시 의를 바탕으로 하지 않으면 그저 만용에 불과한 것입니다. 여기서 군자와 소인은 인격으로 나눈 것이 아니라 사회적 지위의 높고 낮음을 말합니다.

지위가 높은 사람이 의의 바탕 없이 용감하기만 하면 나라를 탐내기 쉽습니다. 그래서 반란을 일으키게 됩니다. 큰 힘을 가지고 있으니 말이죠. 지위가 낮은 사람이 의의 바탕 없이 용감하기만 하면 대담하게 몹쓸 짓을 저지르겠죠. 그러니 범죄자가 됩니다.

24. 자공이 군자도 미워하는 것이 있느냐고 말하자 공자께서 말씀하셨다. "미워하는 것이 있다. 남의 나쁜 점을 말하는 것을 미워하며, 아래에 있으면서 윗사람을 헐뜯는 것을 미워하며 용기는 있으나 예의 없는 것을 미워하며, 과감하지만 꽉 막힌 것을 미워한다. 사도 미워하는 것이 있느냐?" "남의 것을 훔쳐보아 자기가 아는 척하는 것을 미워하며, 불손을 용기로 여기는 것을 미워하며, 잘못을 들추어내는 것을 정직하다고 여기는 것을 미워합니다."

군자는 절대 착하기만 한 그런 인물이 아닙니다. 인은 다른 사람의 마음을 헤아리는 공감의 마음이지만 군자는 인뿐 아니라 의도 갖추어야 합니다. 바르지 않은 것을 보면 성낼 줄도 알고, 바르지 않은 짓을 미워할 줄도 알아야 합니다. 사람을 미워하는 것이 아니라 그릇된 행동을 미워한다고 말하고 있습니다. 사람을 미워하면 인하지 않은 것이니까요.

25. 공자께서 말씀하셨다. "오직 여자와 소인은 다루기가 어렵다. 가까이하면 불손해지고 멀리 하면 원망한

다."

논어에는 구석 구석 여성을 폄하하는 내용이 툭툭 튀어나옵니다. 시대적 한계로 이해합시다.

26. 공자께서 말씀하셨다. "나이 사십이 되어서도 남에게 미움을 받으면 끝이다."

제18편 미자

1. 공자께서 은나라에 인자가 셋이 있었다고 말씀하셨다. "미자는 떠나고, 기자는 종이 되고, 비간은 간하다 죽었다."

은나라의 마지막 임금 주는 폭군이었습니다. 그런데 이 폭군에게도 애정어린 충고(간언)를 아끼지 않은 인물이 미자, 기자, 비간 입니다. 그런데 폭군이 바뀔 가망이 보이지 않자 미자는 절개를 지키기 위해 나라를 떠났고, 기자는 스스로 천민이 되어 왕에게 경고하고자 했고, 비간은 간언을 계속하다 왕에게 심장을 뽑히는 참혹한 죽음을 당했습니다.

2. 유하혜가 옥관의 장이 되어 세 번 퇴출당하자 사람들이 그대는 아직 떠나지 않았느냐 하자 이렇게 말했다. "바른 도로 사람을 섬기면 어디를 가나 세 번 퇴출당하지 않겠으며 도를 굽혀 사람을 섬긴다면 하필 부모의 나라를 떠날 것인가?"

유하혜는 노나라에서 현명하면서 강직하기로 이름 높은 인물이었습니다. 그 강직함 때문에 간신배들의 미움을 받아 세번이나 관직에서 쫓겨나기도 했는데, 그럼에도 나라를 원망하지 않고 꿋꿋하게 자기 할 말, 할 일을 계속 했습니다. 그런데 공교롭게 중국 역사상 가장 유명한, 아니 악명높은 도적 두목 도척이 그의 동생이었습니다.

3. 제 경공이 공자의 대우에 대해 말했다. "계씨 같이는 해 주지는 못해도 계씨와 맹씨 중간 정도로 하겠다." 그러다 말하기를 "내가 늙어서 등용할 수 없다." 공자가 떠났다.

노나라를 떠난 공자는 이웃 제나라 군주 경공을 만나 정치에 대해 강의했습니다. 이에 감명 받은 경공이 공자를 등용하면서 노나라의 실권자였던 계씨 수준의 대우는 못해 주어도 노나라의 다른 실세였던 맹씨 보다는 나은 대우를 해 주겠다고 약속했습니다. 하지만 제나라 기득권층의 반발이 거세 결국 본인이 나이가 많아 약속을 지키지 못하겠다고 말했습니다. 공자는 제나라를 떠날 수 밖에 없었습니다.

4. 제나라에서 여자 악단을 보내자 계환자가 받아들이고 삼일 동안 조회를 하지 않자 공자가 떠났다.

이건 공자가 노나라에서 벼슬하던 시기의 일입니다. 노나라가 강해지는 것을 꺼리던 제나라가 미인계로 노나라를 공격했습니다. 그래서 여기에 노나라 실권자인 계환자가 홀랑 빠져 국정을 소홀히 했고, 이 꼴을 본 공자는 가망이 없다고 판단하여 벼슬을 버렸습니다.

5. 초나라 광인 접여가 노래 부르며 공자 앞을 지나갔다. "봉이여 봉이여 어찌 덕이 쇠하였는가? 지나간 일은 간할 수 없고 오는 것은 따라갈 수 있다. 그만 두어라 그만 두어라. 오늘날 정치하는 자들은 위태롭다." 공자가 내려서 그와 이야기하려고 했으나 빠른 걸음으로 피하

여 더불어 말할 수 없었다.

6. 장저와 걸닉이 함께 밭을 갈고 있었는데 공자가 그곳을 지나가다가 자로를 시켜 나루터를 물었다. 장저가 물었다. “수레를 잡고 있는 분은 누구요?” 자로가 “공구입니다.”라고 했다. “저 노나라 공구 말인가?” 하자 그렇다고 했다. 그렇다면 그자가 나루터를 알 것이라고 했다. 걸닉에게 물으니 걸닉은 그대는 누구냐고 했다. 중유라고 하자 “저 노나라 공구의 무리인가?” 하여 그렇다고 대답했다. “천하가 모두 이렇게 도도히 흘러가는데 누구와 함께 이것을 바꾸겠는가 또한 그대는 사람을 피하는 선비를 따르는 것 보다. 세상을 피하는 선비를 따르는 것이 낫지 않겠는가 하면서 씨 뿌리는 일을 그치지 않았다.” 자로가 와서 고하자 공자께서 서글프 하면서 말씀하셨다. “새나 짐승과는 무리를 이룰 수는 없고 내 이런 사람들과 함께 하지 않고 누구와 함께 하겠는가 천하에 도가 있더라도 그것과 바꾸지는 않을 것이다.”

7. 자로가 뒤처져서 지팡이로 대바구니를 메고 가는 노인을 만났다. 자로가 선생님을 보았느냐고 물으니 노인이 “사지를 부지런히 놀리지 않고 오곡을 분별하지도 못하면서 누구를 선생님이라고 하느냐?” 하며 지팡이를 꽂아 놓고 김을 맸다. 자로가 두 손 마주잡고 공손히 서 있자 하룻밤 묵어 가게 하고, 닭 잡고 기장밥 지어 대접하고, 그의 두 아들을 인사 시켰다. 이튿날 자로가 가서 이 사실을 고하자 공자께서 “은자이다.” 하시고 자로에게 돌아가 만나게 했는데, 가보니 떠나고 없었다. 자로가 말했다. “벼슬하지 않는 것은 의리가 없는 것이다. 장유의 예절을 폐할 수 없는데 군신의 의리를 어찌 폐하겠는가 자기 몸을 깨끗이 하고자 하여 큰 인륜을 어지럽히는 것이다. 군자가 벼슬하는 것은 군신의 의리를 행하는 것이다. 도가 행해지지 않는 것은 이미 알고 있다.”

8. 공자께서 말씀하셨다. "초야에 은둔한 인재는 백이, 숙제, 우중, 이일, 주장, 유하혜, 소련이다. 자기의 지조를 굽히지 않고 자기 몸을 더럽히지 않은 사람은 백이 숙제일 것이다." 유하혜와 소련에 대해서는 "뜻을 굽히고 몸을 더럽혔으나 말은 의리에 맞고 행실은 사려에 맞았다. 이 뿐이다" 라고 하셨다. 우중과 이일에 대해서는 "숨어 살면서 말을 함부로 했으나 몸가짐이 청렴했고 그만두는 것이 권도에 맞았다. 나는 그들과 다르니 가한 것도 없고 불가한 것도 없다."

9. 태사 지는 제나라로 가고 아반 간은 초나라로 가고 삼반 요는 채나라로 가고 사반 결은 진나라로 갔다. 고수 방숙은 하내로 들어가고 소고 치던 무는 한중으로 들어가고 소사 양과 경쇠 치던 양은 해도로 들어갔다.

5장-9장은 공자가 은자에 대해 언급한 내용들입니다. 공자는 세상이 혼탁하니 뜻을 펼 수 없다며 숨어 지내는 은자들을 존중했지만 그래도 숨기 보다는 나서서 할 수 있는 한 최선을 다해 세상에 참여하려 한다는 입장입니다. 반면 정치에 적극적이었던 제자 자로는 은자들을 의리 없이 군주를 저버린 사람들이라 부르며 부정적인 평가를 합니다.

10. 주공이 노공에게 일러 말했다. "군자는 그 친척을 버리지 않으며 대신으로 하여금 등용되지 못해서 원망하게 하지 않으며 옛 친구를 큰 잘못 없이 버리지 않으며 한 사람에게 모든 것을 갖추기를 요구하지 않는다."

11. 주나라에 여덟 선비가 있었으니 백달 백괄 중돌 중홀 숙야 숙하 계수 계와 이다.

제19편 자장

이 19편 자장은 공자 말씀이 단 한 마디도 나오지 않고, 모두 공자 제자들의 어록입니다. 전체가 남아있지 않고 상당 부분 소실된 흔적이 보이는데, 남아있는 파편만으로도 공자 이후 제자들 간의 관계, 경쟁, 갈등 같은 것이 느껴지는 흥미로운 부분입니다. 논어가 파편적인 어록들을 체계 없이 엮어 놓은 책이긴 하지만, 그래도 꼼꼼하게 읽어온 분이라면 공자의 제자들 중 자로(계로, 중유)가 가장 서열이 높고, 안연(안회)이 가장 뛰어났으며, 자공(사)이 가장 영리한 제자로 탑3라는 것을 느낄 수 있었을 것입니다.

하지만 이 중 안연과 자로는 공자보다 먼저 세상을 떠났고, 자공은 공자의 3년상을 치르느라 활동을 중단했습니다. 그래서 공자의 가르침을 이어 나가는 일은 1세대가 아니라 3세대 제자들의 몫이 되었고, 여기서 가장 앞서 나간 인물들이 자장, 자하, 자유, 자여(증자)입니다. 그런데 이들 사이에 은근한 경쟁이 있었는데, 지금 소개되는 어록들 속에 이 경쟁, 시기, 알력이 드러나 있습니다.

1. 자장이 말했다. “나라가 위험에 처한 것을 보면 목숨을 바치고, 이득을 보면 의를 생각하고, 제사를 지낼 때는 경건함을 생각하고, 초상을 치를 때는 슬픔을 생각하면 선비라 할 만하다.”

2. 자장이 말했다. "덕을 지니되 넓지 아니하고, 도를 믿되 독실하지 않으면 어찌 있다고 하겠으며 어찌 없다고 하겠는가?"

3. 자하의 문인이 교제에 대해 물으니 자장이 "자하는 무어라 했느냐?"고 말했다. "교제할 만하면 교제하고 그렇지 않으면 거절하라고 했습니다."라 대답했다. 자장이 말했다. "내가 들은 것과 다르다. 나는 군자는 현자를 존경하고 여러 사람을 포용하며 잘 하는 사람을 가상히 여기고 잘 못하는 사람을 불쌍히 여긴다고 들었다. 내가 아주 현명한 사람이면 다른 사람을 어찌 포용하지 않을 수 있으며, 내가 현명하지 못하면 다른 사람이 나를 거절할 것이니 어찌 내가 다른 사람을 거절할 수 있겠는가?"

자장은 총명하고 공명심이 높은 제자였습니다. 어떤 면에서는 선배 자공과 판박이라고 할까요? 공자가 총명한 자공을 사랑했듯 젊은 자장도 무척 아꼈고, 그래서 2세대 제자들 중 공자와의 문답이 가장 많이 기록되어 있습니다. 반면 성리학자들이 성자로 추앙하는 자여(증자)는 공자와 직접 나눈 문답이 한 편도 나오지 않죠. 그런데 그런 자장도 질투한 인물이 있었으니 바로 자하입니다.

4. 자하가 말했다. "작은 재주도 볼만한 것이 있으나 멀리 가는데 장애가 될까 두렵다. 이 때문에 군자는 하지 않는다."

5. 자하가 말했다. "날마다 모르는 것을 알고 달마다 잘 하는 것을 잊어버리지 않는다면 배움을 좋아한다고 할 만하다."

6. 자하가 말했다. "배우기를 널리 하고, 뜻을 독실히 하며, 절실히 묻고 가까운 데서부터 생각하면 인은 그 가운데 있다."

7. 자하가 말했다. "장인은 작업장에 거처하면서 그 일을 이루어 내고 군자는 학문을 하여 그 도를 이룬다."

8. 자하가 말했다. "소인의 허물은 반드시 꾸미는 데 있다."

9. 자하가 말했다. "군자는 세 가지로 변한다. 멀리서 보면 엄숙하고 가까이 가면 온화하고 그 말을 들으면 명확하다."

10. 자하가 말했다. "군자는 믿음을 얻은 뒤에 그 백성을 수고롭게 한다. 믿음을 얻지 않으면 해친다고 여긴다. 믿음을 얻은 뒤에 간한다. 믿음을 얻지 않으면 비방한다고 여긴다."

11. 자하가 말했다. "큰 덕이 한계를 넘지 않으면 작은 덕은 드나들어도 좋다."

4장부터 11장 까지는 모두 자하의 어록입니다. 자하는 문학에 뛰어났다고 기록되어 있습니다. 여기서 문학은 시와 문장은 물론 여러 문헌, 고전 등에 능했다는 뜻도 됩니다. 그래서 공자가 죽은 뒤 공자가 모아 놓은 여러 문헌들을 경전으로 마무리 짓는 일이 주로 자하의 역할이었습니다. 그런 만큼 제자도 가장 많이 모였던 모양입니다. 아무래도 책이 귀한 시절이었으니 문헌을 많이 확보한 사람에게 제자들이 모일수 밖에 없었겠죠. 그래서 다른 제자들의 시기의 대상이 되기도 했습니다.

12. 자유가 말했다. "자하의 문인들이 쇄소 응대 진퇴는 잘 하지만 지엽적일 뿐이다. 근본이 없으니 어떻게 하겠나?" 자하가 듣고 말했다. "아, 언유(자유의 자)가 지나치구나. 군자의 도를 무엇이 먼저라 전하고 무엇이 나중이라 게을리할 것인가? 초목에 비유하면 종류로 구별되는 것과 같다. 군자의 도를 어찌 속이겠는가? 처음이 있고 끝이 있는 것은 오직 성인일 것이다.

2세대 제자들 중 또 다른 선두주자였던 자유는 자하가 문헌을 많이 수집하여 옛 문장, 옛 예법에 능하긴 하지만 그건 순 형식, 껍질이 아니냐, 중요한 것은 마음이 아니냐며 비난하였습니다. 그래서 자하를 흔히 숭례파, 자유를 내성파라고 부르기도 합니다.

13. 자하가 말했다. "벼슬하면서 여유가 있으면 학문을 하고 학문을 하면서 여유가 있으면 벼슬을 한다."

짤막한 이 한 마디에서 바로 송 대 이후 중국과 우리나라를 지배한 계층, 사대부가 등장합니다. 전통 유교 사회에서는 관료와 학자를 구별하지 않았습니다. 유교 소양을 평가하여 관리를 선발하였기 때문에 관리가 되었다는 것은 곧 유학자로서도 뛰어나다는 뜻이니까요. 본질은 선비이되, 출사하여 조정에 나서면 관료이며 물러나 연구에 몰두하면 학자입니다.

14. 자유가 말했다. "초상은 슬픔을 지극히 할 뿐이다."

15. 자유가 말했다. "내 친구 자장은 어려운 일을 잘한다. 그러나 인하지는 못하다."

16. 증자가 말했다. "당당하다. 자장이여! 함께 인을 행하기는 어렵구나."

자유와 증자(자여)가 나란히 자장을 비난합니다. 한 마디로 재주는 뛰어나지만 마음이 어질지 못하다, 재주에 비해 덕이 모자란다는 것, 즉 재승박덕이라는 것입니다. 자장이 정말 그런 인물이었을까요? 그 보다는 자유와 자여가 잘 나가는 자장을 질투하는 것 같다는 느낌이 듭니다.

17. 증자가 말했다. "내가 선생님께 들으니 사람은 자신에게 지극히 해야 할 것은 없지만 반드시 부모상은 지극히 해야 한다."

18. 증자가 말했다. "선생님께 들으니 맹장자의 효행 가운데 다른 것은 다 할 수 있으나 아버지의 신하와 아버지의 정책을 바꾸지 않는 것은 하기 어렵다."

19. 맹씨가 양부를 옥관의 장으로 삼고자 증자에게 물으니 증자가 말했다. "위에서 도를 잃어 백성들이 흩어진지 오래입니다. 만약 그 실정을 알게 되거든 불쌍히 여기고 기뻐하지 마십시오."

17-19장은 자유, 즉 증자의 어록입니다. 특별히 눈에 들어오는 문구들은 아니고, 앞에서 공자가 했던 말들의 다양한 변형 처럼 보입니다. 다 좋은 말, 착한 말들이죠. 심지어 "나는 이리 생각한다"라고 말하지 않고 "선생님께 들으니 이렇게 말씀하셨다"는 식으로 말하고 있습니다. 공자가 생전에 증삼은 둔하다고 했는데, 선생님 말씀을 옮겨 적기만 하고 창의적으로 소화하지 않는 모습을 보고 답답했던 모양입니다.

20. 자공이 말했다. "주의 선하지 않음이 이와 같이 심하지는 않았다. 그러므로 군자는 하류에 살기를 싫어한다. 천하의 악이 모두 기기로 돌아오기 때문이다."

21. 자공이 말했다. "군자의 허물은 일식 월식과 같다. 허물을 지으면 모든 사람들이 보고 고치면 모든 사람들이 우러러본다."

22. 위나라 공손조가 자공에게 "중니는 어디에서 배웠습니까?"라 묻자 자공이 말했다. "문왕 무왕의 도가 땅에 떨어지지 않고 사람에게 있으니, 어진이는 그 큰 것을 기억하고 어질지 못한 이는 그 작은 것을 기억하여 문왕 무왕의 도를 가지고 있지 않은 자가 없습니다. 그러니 선생님께서는 누구에겐들 배우지 않았겠으며 또한 어찌 일정한 스승이 있겠습니까?"

23. 숙손 무숙이 조회에서 대부들에게 자공이 중니보다 어질다고 말한 것을 자복 경백이 자공에게 알려주자 자공이 말했다. "집의 담장에 비유하면 나의 담은 어깨 높이 밖에 안되므로 집안을 엿볼 수 있지만 선생님의 담

은 여러 길이라 문으로 들어가 보지 않으면 아름다운 종묘와 많은 백관들을 볼 수 없습니다. 문으로 들어간 사람이 적으니 그 사람의 말이 그럴 수밖에 없겠죠."

22. 숙손 무숙이 중니를 헐뜯자 자공이 말했다. "그래 봐야 소용없다. 중니는 헐뜯을 수 없다. 다른 사람의 어진 것은 구릉이므로 뛰어넘을 수 있지만 중니는 해와 달과 같기 때문에 뛰어넘을 수 없다. 사람들이 스스로 끊으려 하지만 어찌 해와 달에 손상을 입히겠는가? 다만 자기 분수를 알지 못함을 볼 뿐이다."

23. 진자금이 자공에게 말했다. "그대가 겸손해서 하는 말이지 중니가 어찌 그대보다 어진가?" 자공이 말했다. "군자는 한마디 말로 지혜롭게 되기도 하고 한마디 말로 지혜롭지 못하게 되기도 하니 말은 삼가지 않을 수 없습니다. 선생님을 따르지 못함은 사다리로 하늘을 오르지 못하는 것과 같습니다. 선생님께서 나라를 다스리면 세우면 서고 인도하면 따라가고 편안하게 해주면 오고 감동시키면 감화됩니다. 그래서 살아 계시면 기뻐하고 돌아가시면 슬퍼합니다. 그러니 어찌 따라갈 수 있겠습니까?"

20장부터 23장까지는 모두 자공의 어록입니다. 자공은 정사에 뛰어나고, 외교술도 뛰어나고, 경제 감각도 뛰어나 큰 부를 일구는 등 현세적 관점에서 보면 대단히 유능한 인물입니다. 그러면서도 거만하게 굴거나 하지 않아 인심도 많이 얻어, 이미 스승보다 더 높은 명성을 얻기도 했습니다. 하지만 한사코 자신은 스승에 못 미친다며 손사래를 치는 모습이 인상적입니다.

제20편 요왈

1. 요임금이 말했다. "아 순아 하늘의 운수가 너의 몸에 있으니 진실로 그 중을 잡아라 천하가 곤궁해지면 하늘이 내린 자리가 영원히 끝날 것이다." 순도 또한 이렇게 우에게 전했다. 탕이 말했다. "저 소자 이는 검은 소를 희생으로 써서 거룩하신 상제님께 고합니다. 죄 있는 자를 용서하지 않고 상제님 신하를 가려내지 않을 것이니 간택은 상제님 마음에 달려 있습니다. 제 죄는 만방 때문이 아니며 만방의 죄는 모두 저 때문입니다."

요임금과 순임금은 모두 중국인들이 에덴동산처럼 그리워하는 전설의 황금기를 이룬 임금들입니다. 그래서 중국에서는 이상적인 군주의 대명사로 요순, 태평성대의 대명사로 요순시대라는 말을 씁니다. 그런데 요임금과 순임금은 모두 왕위를 아들에게 물려주지 않았습니다. 요임금은 어질다고 명성이 높은 순을 발탁하여 왕위를 물려주었고, 순 임금 역시 가장 어질고 유능한 신하였던 우 임금에게 왕위를 물려주었습니다. 하지만 우 임금부터는 왕위가 아들에게 계승되면서 왕조가 세워졌고, 이것이 바로 하 왕조입니다. 그런데 하왕조의 마지막 임금 걸이 포악하여, 어질기로 유명한 탕에게 민심이 모였습니다. 이에 탕이 걸임금을 쳐서 몰아내고 상왕조를 세웠습니다.

하지만 고대 중국인들은 임금을 하늘(상제)이 임명한다고 믿었기에, 탕임금은 걸임금을 토벌한 것을 상제에게 제사지

내 고하고 죄 있는 자(걸 임금)를 용서할 수 없었다며 만약 그게 잘못되었다면 자기 한 사람에게 벌을 내리라고 호소하였습니다. 이후 상 왕조가 400년간 이어졌으니, 하늘이 이를 받아들였던 모양입니다. 이와 같이 공자는 이는 임금의 자리는 순, 우, 탕 등 개인의 뜻이 아니라 하늘이 그리 하도록 명한 것이라고 강조하였습니다.

2. 주나라가 크게 베푸니 착한 사람이 부유하게 되었다.

3. 아무리 가까운 사람이 있어도 어진 사람만 못하고 백성이 허물이 있으면 그 책임은 나 한 사람에게 있다.

4. 저울과 되를 바르게 하고 법도를 잘 살피고 없앤 관직을 다시 정비하니 온 나라 정치가 잘 시행되었다.

5. 멸망한 나라를 세우고 끊어진 대를 이어주고 숨은 인재를 등용하니 천하의 백성들이 그에게로 마음을 돌렸다.

6. 소중하게 여긴 것은 백성들의 양식과 상례와 제사였다.

2장에서부터 6장까지 다섯 단락은 공자가 주나라 무왕의 업적을 찬양하는 내용입니다. 탕 임금이 세운 상나라의 마지막 왕 걸 임금이 포악하여 주나라 무왕이 이를 토벌하여 멸망시켰습니다. 하지만 무왕은 멸망한 상나라 백성을 약탈하거나 하지 않고 오히려 베풀어 착한 사람이 부유하게 되었고, 또 어지럽던 제도와 법도를 바로잡았으며, 멸망한 상나라 왕실의 후손들을 찾아 나라를 떼어주어 대를 잇게 하는 등 어진 정치를 베풀었다고 공자가 말하고 있습니다.

7. 너그러우면 많은 백성들을 얻고 신실하면 백성들이 의지하고 민첩하면 공을 세우고 공정하면 기뻐할 것이다.

8. 자장이 공자께 "어떻게 해야 정사에 종사할 수 있겠습니까"라고 묻자 공자께서 말씀하셨다. "오미를 존중하고 사악을 물리치면 정사에 종사할 수 있다." 자장이 "오미가 무엇입니까?" 하고 묻자 공자께서 말씀하셨다. "군자는 은혜를 베풀지만 허비하지 않고, 수고롭게 하지만 원망하지 않도록 하고, 하고자 하지만 탐내지 않고, 태연하지만 교만하지 않고, 위엄 있지만 사납지 않다." 자장이 "무엇이 은혜를 베풀지만 허비하지 않는 것입니까?"하자 공자께서 말씀하셨다. "백성들이 이롭게 여기는 바를 따라 이롭게 하면 은혜를 베풀되 허비하지 않는 것이 아니겠느냐? 수고롭게 할 만한 것을 가려서 수고롭게 하면 누가 원망하겠느냐? 인을 하고자 하여 인을 얻으니 또 무엇을 탐하겠느냐? 군자는 많거나 적거나 크거나 작거나 소홀함이 없으면 태연하나 교만하지 않는 것이 아니겠느냐? 군자가 의관을 바르게 하고 보는 것을 높이면 위엄이 있어 사람들이 바라보고 두려워하니 또한 위엄이 있으나 사납지 않은 것이 아니겠느냐?" 자장이 "사악은 무엇입니까?" 묻자 공자께서 말씀하셨다. "가르치지 않고 죽이는 것을 학이라 하고, 미리 경계하지 않고 성공하기를 바라는 것을 포라 하고, 명령을 태만히 하고 기일을 재촉하는 것을 적이라 하고, 똑 같이 주면서 출납에 인색한 것을 유사라 한

다."

9. 공자께서 말씀하셨다. "명을 알지 못하면 군자가 될 수 없고, 예를 알지 못하면 설 수 없으며, 말을 알지 못하면 사람을 알 수 없다."

자장이 공자에게 출세하는 방법, 관리로 성공하는 방법을 묻는 대목은 논어에서 유독 자주 등장합니다. 그런데 공자는 그런 자장을 경박하라거나 속되다고 평가하지 않고, 다만 그 야망을 조금 낮추고 겸손하게 만드는 수준의 대답을 해 줍니다. 이는 공자가 자장이 재능이 높은 인재라 아꼈던 점, 그리고 그렇게 일깨워주면 군말없이 수긍하고 이를 마음에 새기는 태도를 가졌기 때문입니다. 그래서 겸손하고 너그럽고 공경하는 태도와 관련되는 다섯가지 아름다운 것을 추구하고, 오만하고 성급하게 구는 것과 관계되는 네가지 사악한 것을 멀리하라 일깨워줍니다.

논어에서 제일 먼저 공자에게 질문하는 제자는 자공입니다. 그리고 제일 마지막에 질문하는 제자는 자장이죠. 공교롭게 두 인물은 닮은 꼴이기도 합니다. 공자가 재주가 뛰어나지만 덕이 그에 미치지 못하는 인물을 좋아하지 않았다고 하는데, 그건 어디까지나 상대적인 것입니다. 덕이 남보다 탁월한데 재주가 워낙 더 뛰어난 것일수도 있으니까요. 자공이나 자장은 아마 그런 인물이었을 것입니다.

그런데 자공 기수의 동문인 자로, 안회, 중궁, 염백우, 민자건 등이 자공을 나쁘게 말한 대목이 전혀 없는데, 자장은 동문 친구인 자여, 자유가 비난하는 말이 남아있는 것을 보면 뭔가 많은 생각을 하게 합니다. 이건 자장의 문제일수도 있고, 공자와 함께 고생을 많이 한 1세대 제자들이 고생한 경험을 공유하지 않은 3세대 제자보다 동문간의 분위기가 더 끈끈했기 때문일수도 있습니다.

나가는 글

지금까지 공자가 살던 시대에 대한 소개와 논어의 주요 등장인물 및 개념을 살펴보고, 논어의 본문을 모두 읽어 보았습니다. 논어는 고전들 중에 비교적 쉽고 분량이 적은 책에 속합니다.

체계적인 논리에 따라 씌어진 책이 아니라 공자와 제자들의 이야기 조각들을 모아놓은 책이라 순서대로 이해할 필요도 없습니다. 마음에 드는 문구가 있으면 새기고, 다가오지 않는 문구는 일단 뒤로 미루어 두어도 좋습니다. 이 책 한 권에서 인생의 신호등, 좌표가 될만한 문구 한 두개라도 건질 수 있다면 여러분의 독서는 성공한 것입니다.

요즘 세상에 도덕을 말하면 고리타분하다 할지 모르겠습니다. 하지만 달리 생각하면 도덕이 고리타분한 취급을 받는 세상이 바로 혼탁한 세상, 난세입니다. 날이 갈수록 우울하고 마음이 아픈 사람이 늘어나고 있습니다. 어쩌면 이는 삶의 나침반이 될 수 있는 도덕이 무너졌기 때문일수도 있습니다.

여러분이 이 책을 읽고 아주 작은 나침반이라도 얻었으면 좋겠습니다.

옮긴이 권영세

1941년에 태어났다. 원래 한학을 연구하고 학생을 가르치는 꿈이 있었지만 어려운 집안 형편으로 인하여 1964년에 서울대학교 법과대학을 졸업하고 국민은행에서 일하며 부모, 형제, 자식들을 부양했다. 1998년, 은행에서 퇴직한 이후 꿈꿔왔던 한학 연구에 몰두하였고, 손자를 위해 논어를 번역했지만 세상에 빛을 보지 못하고 2024년에 소천하였다.

해설자 권재원

권영세의 아들로, 1968년에 태어났다. 서울대학교 사범대학을 졸업하고 1992년부터 중학교 사회교사로 재직하는 한편 2004년, 서울대학교 대학원에서 교육학 박사학위를 받았다. <민주주의를 만든 생각들>, <세상을 바꾼 질문>, <별난 사회선생님의 지리는 역사>, <교육 그 자체> 등 청소년 인문사회 교양서와 교육비평서를 50여권 저술하였다.